L'ENFANT
CHARGÉ
DE SONGES

ANNE HÉBERT

L'ENFANT
CHARGÉ
DE SONGES

roman

ÉDITIONS DU SEUIL
27, rue Jacob, Paris VIᵉ

ISBN 2-02-015374-2

© MAI 1992, ÉDITIONS DU SEUIL

I

Au terme de sa première journée à Paris, son grand corps encore chaloupé par le roulis du bateau, Julien s'est endormi très vite, rompu de fatigue, presque tout de suite livré aux apparitions de la nuit. Soudain elle a été là, dans les ténèbres de la chambre, de plus en plus nette et précise, à mesure qu'il la reconnaissait. Bientôt la géante immobile et lourde s'est mise à rayonner de mauvaise humeur et Julien a su que sa mère ne lui pardonnait pas d'avoir franchi l'Atlantique et quitté sa terre natale. Elle s'étalait au milieu de la chambre en désordre, assise sur sa croupe énorme comme sur un trône. Ses cheveux courts, en épis dressés sur sa tête, lui donnaient l'air épineux d'un chardon blond vénitien. Son nez en trompette, sa pâleur extrême où les rousseurs paraissaient sombres, son pantalon d'homme, serré à la taille par une ceinture de cuir à boucle métallique, sa cigarette allumée, tenue maladroitement entre ses doigts tachés de nicotine, rien ne manquait qui pût l'identifier au regard de son fils.

Il la regardait et il demeurait étendu immobile sous ses couvertures. Il respirait la fumée qui s'échappait par tous les pores de la peau de cette créature toute-puissante, installée au milieu de la chambre d'hôtel comme si elle était chez elle, et qui, seule au monde, possédait des droits sur lui.

9

La fumée emplissait la pièce, s'attachait aux rideaux de peluche verte, gagnait l'armoire de faux acajou, flottait sur l'édredon de satinette imitation cachemire, pénétrait la veste de pyjama de Julien, effleurait son visage et ses mains, se glissait dans son cou en volutes bleues suffocantes. D'une seconde à l'autre, l'odeur de tabac blond dans lequel il avait été élevé allait le reprendre, dans ses nuages épais, et l'entraîner dans une enfance dont il ne voulait plus.

Craignant d'étouffer, il tente de se redresser sur son coude. Mais tout mouvement lui est impossible dans cet état de songe qui se prolonge et risque de l'anéantir. Il ne peut s'empêcher de raisonner comme s'il était éveillé et en possession de ses moyens. Mais comment a-t-elle pu entrer ici, dans cette chambre fermée à clef ? Un chagrin extrême le prend à la gorge. Il se souvient que sa mère est morte. Brusquement il se réveille dans une chambre noire, inconnue.

Après avoir eu soin d'allumer la lumière il finit par se rendormir.

Au matin, il est réveillé par la femme de chambre qui apporte le petit déjeuner, commandé la veille. Elle brandit la clef oubliée par Julien sur la porte, à l'extérieur de la chambre.

La fenêtre maintenant grande ouverte découpe l'image d'une ville dont Julien rêve depuis longtemps ; le quai Voltaire, la Seine, le Louvre, et, sur tout cela, une lumière tamisée, comme une douceur incertaine. L'hôtel avait été choisi, entre des dizaines d'autres, à cause de sa situation, au cœur même de Paris. Et voici que ce matin, Julien, au

10

lieu de se précipiter vers la fenêtre, aux volets brusquement rabattus par la femme de chambre, ne bouge pas, blotti au fond de son lit. Tout se passe comme s'il n'avait pas le droit de regarder Paris, de le sentir vivre sous son regard et de le trouver délectable, quelqu'un d'extrêmement puissant lui ayant interdit en songe tout plaisir et toute joie, hors de l'enclos étroit de l'enfance.

La silhouette anguleuse de la femme de chambre s'attarde, à contre-jour dans la fenêtre, toute tendue et concentrée par ce qu'elle voit. Elle dit « Zut » et elle se retourne du côté de la chambre. Elle donne un coup de torchon sur la table, d'un geste très lent, comme à regret, après avoir déclaré, d'une voix abrupte :

— Tiens, en v'la encore un qu'a bu la tasse !

Julien s'approche de la fenêtre à son tour. Il ne voit pas le noyé, seulement la foule autour du noyé qu'on vient de repêcher. Tandis que le flot incessant des voitures sur le quai, pareil à une armée aux rangs serrés, couvre tout de son vacarme assourdissant.

« Salut, mon premier matin à Paris ! », chantonne Julien, une minute plus tard, devant sa glace, retrouvant un air de *Faust*, tout en essayant de mettre de l'ordre dans sa chevelure très frisée où s'emmêlent quelques fils d'argent.

Les premiers jours il a été dans Paris comme un somnambule qui a les yeux grands ouverts et ne voit rien de ce qu'il regarde. Notre-Dame, l'Étoile, les Invalides, la Concorde, tout le périple habituel des touristes défile devant lui, sans que Julien n'ait prise sur rien. La vraie ville serait-elle hors d'atteinte ? pense-t-il alors qu'il ne cesse de comparer le Paris de ses rêves avec celui de la réalité. Un filtre gris recouvre les monuments qu'il a déjà vus, si nets et purs, reproduits dans des albums d'art. Tant de gens autour de lui surtout le gênent à chaque pas. Il est comme quelqu'un dans un musée qui ne peut s'isoler devant aucune toile tant on le presse et le pousse, de tous côtés à la fois. Trop de monde. Trop de bruit. Trop de voitures. Il a beau prêter l'oreille il ne peut entendre le souffle léger de la respiration de Paris, pas plus que les voix sourdes, tant attendues, de ses poètes préférés.

Il y a comme un écran entre la ville et lui, une vitre translucide derrière laquelle se dressent d'étranges demeures fermées et des créatures inaccessibles.

Dédaignant les cars de tourisme et les visites guidées, Julien erre, du matin au soir, dans les rues d'une ville qui se dérobe à son approche.

Il marche sur les grands boulevards, lentement, précautionneusement, comme un chat sur la crête d'un mur. L'espace réservé à sa silhouette longue, un peu voûtée, semble mesuré, étroitement limité, parmi les passants vêtus de noir, de beige et de gris. Il se souvient des couleurs crues de son continent d'origine. Il songe aux souliers rouges d'Aline, sa petite amie, à l'éclat surprenant qu'ils apporteraient dans la grisaille ambiante.

Peu à peu il sent dans ses jambes, ses bras, tous ses muscles fourbus, quelque chose qui s'adapte et prend le rythme. Voici que la foule étrangère le porte comme la mer qui saisit un bateau et l'entraîne au fil de l'eau.

Chaque soir, épuisé d'avoir tant marché, il tombe comme une masse sur son lit, dans sa chambre d'hôtel, éprouvant comme une soûlerie, dans tout son corps qui s'endort, le mouvement de la foule vivante.

Julien découvre les terrasses et les cafés. Parfois, lorsqu'il a trop soif et trop faim et que la fatigue lui fait traîner les pieds, il s'échappe de la masse des promeneurs qui l'emporte, il ne sait où, au hasard des rues. Il se retrouve tout seul, accoudé à une petite table, qui demande timidement :

— Un café, s'il vous plaît.

Il reste des heures à siroter un café noir dans une tasse minuscule. Parfois des fantômes familiers, venus de son pays natal, l'accompagnent dans les rues, s'assoient avec lui aux terrasses et dans les cafés.

D'autres fois, au contraire, il arrive à Julien d'oublier sa vie passée, jusqu'à son statut douloureux d'étranger dans la cité. Certains cafés lui portent chance. Il se prend alors à respirer calmement le même air enfumé que tous les gens attablés autour de lui. Et s'il allume une cigarette, à son tour, il aime à voir monter au plafond la fumée bleue qui se perd dans un nuage opaque comme si toute la vie de Julien rejoignait la vie commune du monde, en un seul tourbillon éphémère.

Mais ce n'est qu'après le concert des Billettes que la ville commencera vraiment de s'apprivoiser.

Il a fini par se décider à aller à un concert dans l'église des Billettes, rue des Archives. Dès sa décision prise l'air autour de lui a semblé plus respirable, tout comme si à l'avance la musique commençait déjà son œuvre de bonté. La musique, depuis son enfance, ne possédait-elle pas le pouvoir de le rendre heureux en dépit de tout ? C'est du fond des années passées que remontent des sons et des images enfouis. Il entend de nouveau Mozart et Schubert. Il voit la musique rayonner sur le visage mobile de Lydie. Avant que ce beau visage ne soit livré à la fureur de vivre, il goûte sa félicité.

Perdu dans ses souvenirs, Julien franchit le pont d'Arcole sans voir la Seine verdâtre qui bouge au soleil. Ce n'est qu'en arrivant au cloître des Billettes qu'il remarque le ciel d'été sans nuages.

Ici commencent les lamentations de Jérémie.
Tout d'abord la voix *a cappella* du premier ténor, rien que la voix, sans qu'on aperçoive le chanteur.
Aucun préambule ni présentation, d'emblée c'est le chant qui s'élève des ténèbres de la terre, sans les éviter

ni les contourner, s'en emparant plutôt pour leur donner forme et visage dans la lumière.

Le premier ténor s'avance dans le chœur strict et nu. La grande croix derrière l'autel, les balustrades de bois des galeries.

Un deuxième ténor, un clavecin, une viole de gambe.

Julien est livré à la musique, sa propre nuit débusquée ne fait plus qu'une nuit rayonnante avec la *Leçon de ténèbres*, célébrée dans la petite église des Billettes. Rien au monde, semble-t-il, ne peut distraire Julien de son recueillement.

A deux reprises pourtant son regard s'est posé sur les épaules d'une femme vêtue de noir, placée deux rangées devant lui.

Jérusalem, Jérusalem, reviens au Seigneur ton Dieu.
Ce n'est pas que cette femme soit étrangère à la musique de Couperin, ni à la ferveur de Julien, au contraire, c'est plutôt le manque de distance entre cette femme et lui qui gêne Julien. Il a l'impression d'être enfermé avec une inconnue (se détachant soudain de la masse des fidèles) dans un lieu clos, réduit à la même respiration, à la même délectation partagée.

Son regard s'attarde sur les épaules tendues de noir. Il remarque le chignon bas sur une nuque longue.

A la fin du concert il la voit marcher lentement dans le cloître, lever la tête vers les croisées d'ogive. Il la regarde avec insistance. Sa figure étroite, ses bandeaux de cheveux noirs. Elle vire sur ses talons hauts, s'étire, comme si elle était seule au monde, toute sombre dans la lumière d'été, cambrant les reins, projetant sa poitrine, un vague sourire sur ses lèvres rouges. Comme cette femme ressemble à Lydie, pense Julien, et soudain il n'a plus qu'une idée en tête, vérifier sur la joue de l'inconnue le grain de beauté, la petite mouche noire qui ornait la pommette droite de Lydie. Julien fait un pas en direction de la femme. Elle le regarde et elle sourit à pleines dents. Pris de court devant ce trop facile sourire, trop fardé aussi, soudain terriblement étranger, Julien baisse les yeux, tourne les talons et quitte le cloître à grandes enjambées.

Il presse le pas tout le long de la rue des Archives, jusqu'à la rue de Rivoli. Au moment de traverser la Seine il ralentit, tout pénétré par le beau temps qu'il fait sur l'eau et dans le ciel. Il cesse tout à coup de comparer dans sa tête une dure adolescente d'autrefois avec l'inconnue des Billettes.

Il s'accoude sur le parapet, regarde l'eau qui passe sous le pont, tour à tour vert sombre puis vert pâle, à cause d'un ciel changeant plein de nuages effilochés.

Julien aurait quand même bien aimé savoir si la dame des Billettes possédait un tout petit grain de velours noir sur la pommette droite. Longtemps il regarde l'eau qui passe, jusqu'à ne plus la voir du tout, les yeux brouillés de songe.

Complet-veston, malgré la chaleur, cravate et chemise blanche, Julien s'habille, presque chaque soir, en l'honneur de la musique. Pareil à quelqu'un qui serait sans feu ni lieu, il va de concert en concert. Récitals, musique de chambre et grand orchestre. Julien joint les mains, se recueille, pleure et rit, vibre de la tête aux pieds. Sa maigreur endimanchée, sa chevelure ébouriffée se remarquent sur les plus hauts gradins des salles de concerts, là où sont juchés des hommes en chemise et des femmes en robe claire. Paradis et poulailler. Julien dépense sans compter ses minces économies. L'entracte se passe à épier le flot des auditeurs qui s'écoule doucement, s'immobilise, parle et gesticule, par petits groupes. L'espoir de revoir la dame des Billettes s'avère de plus en plus dérisoire, à mesure que passe le temps.

Le dimanche, en fin d'après-midi, ramène Julien à Notre-Dame pour le récital d'orgue.

Il écoute avec tout son corps, campé sur une chaise de paille, avec tout son esprit tendu comme un tambour, sous l'assaut des grandes orgues.

17

Et voici que l'orgue se tait, tandis que l'immense vaisseau continue de vibrer, en vagues sonores, décroissantes, sous la voûte. Les vitraux se teignent de lueurs. Des cierges clignotent dans la pénombre. Julien s'abrite derrière le pilier de Paul Claudel. Il ferme les yeux. Il implore la grâce et la révélation.

La cathédrale se vide peu à peu. Le silence de Dieu prend toute la place. On pourrait le toucher des deux mains, comme quand on avance dans la brume opaque et mouillée. C'est du fond de ce silence, sous les paupières fermées de Julien, que surgit Lydie. Elle se montre de face et de profil, ses longs cheveux noirs en bataille sur ses épaules et dans son dos. En croupe sur un cheval de labour gris pommelé elle n'en finit pas de parader. Encore un peu elle va franchir la mémoire de Julien, comme Ève franchissant les côtes d'Adam, s'échapper au grand jour, s'engager dans la nef, crier à tue-tête « Mon petit Julien », sous les voûtes de Notre-Dame. Les fidèles assemblés sursauteront et Julien, tapi derrière son pilier, quêtant le miracle et le prodige, sera comme un homme qui sombre dans le rêve.

Il n'a qu'à ouvrir les yeux pour retrouver sa solitude et la pénombre apaisante tout autour de lui. Les chaises de paille sont là, bien alignées. Des petits feux palpitent dans les bas-côtés, comme des respirations effrayées. Julien n'éprouve plus qu'une immense fatigue.

Il distingue très bien maintenant le piétinement confus qu'il y a dans l'église. Tous ces gens vont et viennent, se croisent et se perdent, ne voient rien de ce qu'ils regardent, passeraient à travers le feu et l'eau sans se brûler ni se mouiller.

Immobile, appuyée sur le mur dans le porche, comme si elle y était sculptée, une religieuse tend un petit panier. Une main de femme y dépose un billet. Julien voit cette main, comme si elle était seule au monde, s'échappant soudain de la foule, pour être regardée par lui. Il contemple le bras nu, l'épaule tendue de noir. La dame des Billettes vient sans doute de payer son écot pour le récital d'orgue, à moins qu'elle ne s'adresse aux pauvres de Dieu pour solliciter quelque faveur profane ? Julien dépose son obole. Les billets étrangers entre ses doigts lui semblent faux, comme de l'argent de théâtre.

Ils sont bientôt, tous les deux, sur le parvis, dans le flot des touristes, face à face, comme des personnes qui attendent d'être présentées l'une à l'autre.

Nul grain de beauté sur la joue de cette femme. La dame des Billettes ressemble de moins en moins à Lydie. Julien s'obstine à chercher une ressemblance.

— Vous me rappelez quelqu'un...

lance-t-il à travers la table ronde où elle est accoudée.

— Vous ne me rappelez personne, habillé comme vous l'êtes, par cette chaleur.

Elle rit. Elle a un peu de rouge sur ses dents blanches.

— Vous êtes unique au monde, c'est certain. D'où sortez-vous donc ?

Il a envie de répondre qu'il vient de nulle part, qu'il aimerait bien y retourner et qu'on ne lui pose pas de question. En face d'elle qui est vivante et rieuse il se sent comme un convalescent, à peine sorti d'une étrange maladie sans nom précis, une espèce d'aridité terrible qui l'aurait tenu depuis son arrivée à Paris.

Il se tait dans tout ce bruit qu'il y a autour d'eux, ce monde confus où des gens débraillés s'affalent sur des chaises de rotin et s'accoudent à des petites tables rondes en faux marbre, alignées sur le trottoir.

Elle mange son sorbet avec une longue petite cuiller glacée. On peut voir poindre entre ses dents le bout de sa langue de chat. On pourrait même croire qu'elle n'a que ça à faire au monde, manger des glaces, au grand soleil d'été, non loin de Notre-Dame, perdue dans le flot des touristes, tandis que des bribes de phrases en langue étrangère passent au-dessus de sa tête.

Encore un peu et elle va se lever dans sa robe moulante, reprendre sa promenade dans la ville, s'asseoir à d'autres terrasses, en face d'autres hommes, manger des glaces de nouveau, rire et prendre rendez-vous pour un lendemain qui lui importe peu.

Elle a fini sa glace et elle le regarde, penchée sur la table, son visage tout près de celui de Julien, attendant de lui un signe qui ne vient pas.

— Comme vous voilà renfrogné. Votre nœud papillon vous gêne ? A moins que ce ne soit moi qui vous dérange ?

Cette femme a des yeux d'agate, veinés de marron et de vert. Elle est si près de lui qu'il peut voir le grain de sa peau mate.

Il s'entend dire très clairement, en détachant chaque mot, sur le ton d'une déclaration sans appel :

— Lydie avait les yeux parfaitement verts comme des raisins verts !

Elle rit si fort qu'il se lève, outragé, et lui jette à la figure une agressivité retenue depuis son arrivée à Paris et qu'il déballe très vite.

— Tout est trop ancien, ici, trop vieux, le passé nous étouffe, c'est trop petit surtout, votre Seine, on dirait un ruisseau, vos forêts ont l'air de parcs bien ratissés, et puis le sel n'est pas salé, ni le sucre sucré, trop de monde, trop de voitures, trop pollué...

Elle s'étouffe de rire.

— C'est votre accent qui me met en joie ! Quelle fête !

Ne vous fâchez pas, surtout. Ça me rappelle la campagne profonde. Continuez, je vous en prie.

Elle a cessé de rire. Elle ferme les yeux comme si elle se recueillait, en attente d'une joie nouvelle.

Il s'est levé si brusquement qu'il a failli renverser la petite table où s'entrechoquent son verre et la coupelle en métal du sorbet.

Elle se lève aussi, toute droite dans sa robe étroite. Pas assez jeune pour ce genre de robe, pense-t-il. L'image de Lydie de nouveau s'interpose entre lui et la femme en face de lui. Sur cette image Lydie a dix-sept ans, un long corps mince et des jambes interminables.

Il articule nettement pour qu'elle ne remarque pas son accent et ne se moque pas davantage :

— Bonsoir. Il faut que je rentre.

Elle bafouille, craignant de le perdre et de rester seule :

— Quel sauvage vous faites. J'aurais aimé me promener avec vous au jardin du Luxembourg. Ce n'est pas pollué du tout par là, je vous le jure.

Il a déjà tourné le dos et s'éloigne vers les quais. Un instant elle reste immobile, infiniment désœuvrée. Elle rajuste sur son épaule son petit sac à chaînette dorée et se met en marche comme à regret. Bientôt elle retrouve son pas nonchalant, à l'affût de la moindre rencontre humaine. Ce n'est qu'après avoir vu la haute et fine silhouette de Julien s'engouffrer dans un hôtel du quai Voltaire qu'elle s'est rendu compte qu'elle le suivait depuis la terrasse du café.

Je suis un sauvage, se répète Julien, franchissant le seuil de son hôtel.

Sans doute n'entend-il pas le vrombissement des voitures sur le quai, ni la vibration des vitres dans la fenêtre. Julien s'ingénie à faire ses comptes de la journée comme on fait son examen de conscience. Sur le couvre-lit vert bouteille, les pièces de monnaie et les billets sont répandus. Julien fronce les sourcils. Ne manque-t-il pas un billet de mille francs dans son portefeuille ?

Il pense à la dame des Billettes et il se tourmente parce qu'il ne la reverra sans doute jamais plus. N'ignore-t-il pas son adresse et jusqu'à son nom ?

Julien s'enferme pour la nuit. Fait le vide en lui et autour de lui. Forme un vœu en secret. Que la dame des Billettes demeure hors d'atteinte, dans les ténèbres extérieures de la nuit, tout occupée, dans son éternité d'étrangère, à manger un sorbet au citron, à la terrasse d'un café inconnu. *Amen.*

Toutes les précautions semblent prises. Volets et rideaux bien fermés, clef tournée deux fois dans la serrure et laissée bien en vue à l'intérieur de la chambre. Seule la veilleuse, sur la table de chevet, projette son petit feu jaune à travers l'abat-jour. Les quatre coins de la chambre sont pleins d'ombre qui bouge doucement. Bien gardé des vivants et des morts, Julien s'allonge sur son lit. L'argent français lui semble réel maintenant qu'il croit avoir perdu un billet. Ses minces économies baissent à vue d'œil et bientôt il lui faudra rentrer au pays, plus pauvre que Job.

Julien se débarrasse du traversin qui lui casse la nuque. Bien à plat sur son lit, les bras croisés au-dessus de sa tête, il vérifie l'état de ses finances, qui lui semble catastrophique. Il a beau se raccrocher à des problèmes concrets, à mesure que vient le sommeil qui émousse toute vigilance, des images le submergent.

Une grande fille aux longs cheveux noirs se montre un instant, l'appelle par son nom, «Mon petit Julien», rit beaucoup et s'enfuit dans l'ombre de la chambre pour reparaître aussitôt sous les traits de la dame des Billettes. Tandis que sa mère, énorme et sacrée, dans des nuages de fumée, prend toute la place contre son lit, se penche et projette des spirales de tabac blond, par le nez et par la bouche. Elle assure que Lydie est maudite et qu'il faut s'en méfier comme de la peste, ainsi que de tout autre créature lui ressemblant.

C'est un vieil adolescent qui s'endort dans une ville étrangère. Bientôt, dans son sommeil, il se tourne vers sa petite enfance, ce temps béni d'avant la première apparition de Lydie. Il s'enroule dans son drap et se cache la figure. Il entend déjà distinctement, de l'autre côté du monde, sonner à son oreille l'angélus du soir, à l'église de Duchesnay.

II

C'est l'heure où l'on va chercher les vaches dans les champs pour les traire. Il y a des troupeaux à la queue leu leu sur les routes sableuses et des enfants, pieds nus, avec des bâtons et des gaules vertes, pleines de feuilles, qui marchent derrière les vaches et qui crient :

— Qué vaches, qué...

Julien a huit ans. Il serre dans sa main la main de sa petite sœur, qui a six ans. Les voici sur la route, comme chaque soir, chargés par leur mère d'aller chercher le courrier, au bureau de poste de la gare. Ils ont très peur tous les deux de ce défilé de bêtes ruminantes, toutes blanches ou rousses, ou tachetées de blanc et de roux, se déversant sur la route, troupeau après troupeau, dans un remuement de clochettes. Au risque d'abîmer leurs sandales blanches, les deux enfants se sont rangés sur le bord de la route, les pieds dans le ruisseau, attendant que passent tous les troupeaux. Ils craignent particulièrement les vaches sauteuses de clôture, celles qui ont des carcans autour du cou et qui peuvent, d'un instant à l'autre, charger comme de vrais taureaux, dans un meuglement sauvage et un nuage de poussière.

Ils l'ont vue de loin sur la route, venant à leur rencontre, marchant vite, sa grande cape marine déployée autour d'elle, et leurs cœurs affolés se sont aussitôt calmés dans leurs poitrines d'enfants.

Elle les emmène, au pas de course, tournant le dos à la gare, les tirant solidement par la main, sans ralentir son allure. Ils peuvent entendre son souffle puissant, sentir sa bonne chaleur avivée par la course, la cape de laine touche leurs joues, ils en respirent l'odeur.

Pauline, hors d'haleine, répète que ces cochons d'habitants-là rentrent leurs vaches de plus en plus tard, et qu'il va falloir désormais aller chercher le courrier bien après six heures.

Elle va si vite qu'ils ont de la peine à la suivre. Elle n'a qu'une idée en tête, se mettre, une bonne fois pour toutes, avec ses enfants, à l'abri des troupeaux qui déferlent dans la campagne, soir après soir, sur le coup de six heures.

Julien a ramassé par terre, là où sa mère l'avait laissé tomber, la cape de laine marine avec un grand col d'angora gris. C'est une habitude qu'il a de ramasser derrière elle tout ce qu'elle laisse tomber, un peu partout dans la maison. Il range la cape derrière la porte de la chambre, parmi les vêtements et le linge en vrac, accrochés tant bien que mal à des clous. Il n'y a ni placard ni armoire dans la maison. C'est l'époque bénie où Pauline porte encore des robes, des jupes et des jupons.

Le petit garçon fait l'inventaire des effets derrière la

porte. Il presse à pleines mains les indiennes fanées par le soleil et les lavages. Il reconnaît les jupes et les corsages. Il enfouit son visage dans les plis et les fronces. Les yeux fermés comme s'il dormait, il goûte l'odeur de savon et le parfum de la mère. Il entend vaguement Pauline dans la cuisine qui actionne la pompe et ronchonne parce que l'eau ne vient pas à tout coup.

Derrière la porte de la chambre s'accumulent des objets hétéroclites, en tas, par terre. D'habitude, ce désordre est caché parce que Pauline garde la porte rabattue contre le mur. Parfois il faut pousser un peu fort le battant pour tasser tout cela. Si l'on ouvre un peu trop vite, ça dégringole de toutes parts comme un barrage qui cède.

Elle n'a aucune maîtrise sur ce qui l'entoure. Tout ce qui se touche, se prend, se déplace, se lave et se range lui échappe au fur et à mesure, pareil aux mauvaises herbes qui sont têtues et n'en font qu'à leur tête. Les mains brouillonnes. Le cœur ailleurs. Elle est casseuse, impatiente et maladroite. Elle entretient avec les objets des rapports méfiants et grincheux. Seuls ses deux enfants semblent lui assurer une certaine emprise sur la terre hostile et fuyante. Ce n'est qu'à la naissance de Julien qu'elle a commencé d'exercer un pouvoir, non plus sur les objets rebelles de sa maison, ni sur son mari fugueur, mais sur un être vivant bien à elle, sorti de ses entrailles.

Deux ans plus tard naissait Hélène. Confirmée en grâce, Pauline a tenu entre ses bras une deuxième créature chaude de sa propre chaleur. Échappant à l'univers vague et brumeux qui avait été le sien depuis son enfance, elle a soudain été comme un pauvre qui passe du dénuement le plus complet à la richesse intégrale du monde.

31

Pauline, ses deux enfants blottis dans ses jupes, déclarait volontiers à qui voulait l'entendre :

— Je les bourre d'affection, ils ne peuvent se défendre.

Elle dit « Julien » et elle dit « Hélène », avec une sorte d'arrogance puérile. Le plaisir qu'elle a à nommer ses deux enfants fait briller ses petits yeux gris, entre ses cils pâles. Mais le reste du monde demeure pour Pauline, elle-même comprise, une sorte de magma informe ne pouvant être désigné que par « on ». Elle dit :

— On est venu ce matin aboyer sous mes fenêtres... On est parti pour je ne sais où en oubliant son portefeuille sur la commode... On a perdu ses élections, comme d'habitude.

Qu'il s'agisse du chien du voisin, de son propre mari ou d'un homme politique bien connu, seul le « on » est de rigueur. Un jour, elle s'est coupé le doigt avec un tesson de bouteille et le sang coulait jusque sur sa robe. Elle a dit de sa voix sourde à peine perceptible :

— Il y a quelqu'un qui s'est coupé le doigt.

Dès le commencement Julien a été aimé plus que tout au monde. Il a connu ce bonheur redoutable à partir de son premier souffle. Un jour il a été cet enfant qu'on sort des ténèbres de la mère et qui crie pour la première fois. Cela se passait dans un petit village appelé Duchesnay, au bord de la rivière du même nom. Sa mère s'appelait Pauline Lacoste et elle avait épousé un an auparavant Henri Vallières, petit fonctionnaire à l'hôtel de ville de Québec.

Cet enfant est né à la lueur d'une lampe à huile, dans une minuscule maison de bois posée au bord de la route de sable, tout à côté de la boulangerie. De grands peupliers aux feuilles d'argent sans cesse en mouvement isolaient la maison et lui faisaient une sorte d'abri bruissant, tout plein de l'odeur du pain chaud. Un Irlandais nommé Pat Karl louait sa petite maison aux parents de Julien. Pauline avait économisé, sou à sou, les vingt-cinq dollars de la location pour les mois d'été. La jeune femme désirait offrir à son premier-né, dès sa première respiration, l'air pur de la campagne. Elle qui ne connaissait que la ville craignait très fort les moustiques, les fourmis, les guêpes, les araignées, les chenilles, les bêtes à patates et tous les insectes dont fourmille la campagne. Mais, à cette époque où la menace de la tuberculose faisait trembler les mères, elle croyait que c'était la meilleure façon d'offrir à son enfant un bon départ dans la vie. L'air natal de cet enfant devait le préserver de tous les microbes à venir. Toutefois, elle avait beau essayer de « se dompter », comme elle disait, le moindre papillon de nuit grésillant au-dessus de la lampe, avant de tomber dans le feu, l'emplissait de terreur et de dégoût. Le manque total de confort, l'eau froide, l'absence d'électricité et de salle de bains, la pompe dans la cuisine, le poêle à bois, l'odeur puante de la bécosse cachée sous les arbres, derrière la maison, lui donnaient quotidiennement la tentation effrénée de retourner à Québec, son enfant dans les bras, désirant partager avec lui, jusqu'à la fin de ses jours, une douce vie citadine.

Aucun médecin ne desservait le village. Mais le médecin de Pauline avait promis de venir de Québec, dès qu'on le ferait appeler par le téléphone du magasin général.

La route de Québec à Duchesnay était longue et malaisée à cette époque, pleine de sable et de cailloux, souvent inondée par les débordements de la rivière tout contre. Ne sachant s'il devait redouter davantage le sable et les cailloux ou la rivière en crue, le docteur Fortin demeurait à l'écoute du moteur de sa petite Ford noire bien vernie, comme s'il eût ausculté un cœur humain en grand danger de mort subite. Il maugréa, tout le long du chemin, contre l'idée saugrenue de cette petite bourgeoise de Pauline Vallières qui s'obstinait à vouloir accoucher au fin fond de la campagne, comme une pauvre habitante.

— C'est un garçon !

Elle regarde et, malgré sa faiblesse et tout son corps rompu, elle n'a jamais regardé aussi intensément rien ni personne. C'est une minuscule créature chiffonnée et rouge que lui tend le médecin, et pourtant Pauline reconnaît aussitôt son bien le plus précieux, la chair de sa chair enfin délivrée et mise au monde. Le sentiment confus qui lui gonfle les paupières et la fait pleurer ressemble à l'amour et à l'effroi étrangement mêlés.

Cette nuit-là elle eut un rêve. Un chaton aveugle, encore tout gluant de sa naissance, reposait dans sa main, pas plus gros qu'une souris. Elle seule possédait le pouvoir de le noyer ou de lui permettre de vivre.

Deux ans plus tard, dans les mêmes douleurs et la même épouvante, Pauline a donné naissance à un deuxième enfant, dans la petite maison de Pat Karl, louée pour l'été.

Le médecin tenait encore la petite Hélène hurlante et toute nue dans ses bras, contre sa blouse blanche, que Pauline a su qu'elle avait sa part entière de vie et la plénitude de son cœur. Que lui importaient désormais les insuffisances de ce pauvre homme trop blond qui se tenait en ce moment debout, les bras le long du corps, planté comme un piquet sur le petit perron de bois de la maison, l'oreille aux aguets, attendant patiemment que s'apaisent les bruits de la naissance et qu'on lui annonce enfin le sexe et le poids de son enfant ?

Penchée, tour à tour, sur le berceau de Julien et sur le berceau d'Hélène, c'est au chevet de sa propre enfance que Pauline veille. Tout se passe, entre elle et ses enfants, comme s'il s'agissait de réparer le tort qu'on a fait, dans une autre vie, à une petite fille appelée Pauline Lacoste. Cette petite fille a été ballottée de ville en ville, de pensionnat en pensionnat, été comme hiver, vacances ou pas, ses parents n'ayant pas de trop de tout leur temps, entre deux déménagements, pour un tête-à-tête féroce et joyeux de scènes et de réconciliations sur l'oreiller.

Si parfois Henri tente de s'approcher de son fils ou de sa fille, Pauline le chasse comme une mouche importune. Ce n'est jamais le bon moment, et puis il ne sait pas y faire, dit-elle.

L'été ramène fidèlement les Vallières au bord de la rivière. Ils ont déjà changé de maison plusieurs fois, la maison de Pat Karl s'avérant trop petite. Les enfants grandissent à vue d'œil. Mais Pauline ne semble pas s'en apercevoir. Elle demeure incapable de voir son fils et sa fille se transformer, peu à peu, sous ses yeux. Tout les efforts de Pauline consistent à maintenir la plus parfaite transparence entre ses enfants et elle.

36

— Tu me dis toujours où tu vas, ce que tu fais, ce que tu penses, et je t'écoute et je te questionne jusqu'à l'aube, s'il le faut. Il faut que je sache ce qui vous intéresse, ce qui vous tracasse. Je suis là pour écouter et entendre tout ce qui vous passe par la tête.

De son côté elle leur racontait le père qui la tannait à mourir, la cretonne rose qu'elle venait d'acheter au village, les confitures qu'elle ferait demain et le petit kyste qui lui était venu sur le sein gauche.

En retour ils n'avaient de cesse que de lui ouvrir leur cœur à satiété, n'ayant pas encore de véritables secrets et se prêtant de bonne grâce à ce jeu, en apparence anodin. Elle ne les en aimait que davantage et leur en était reconnaissante.

L'univers dans lequel ils vivaient, tous les trois, en retrait du père, de plus en plus intéressé par les cartes et les dés, les isolait du monde entier. On aurait pu croire que c'était ça, la vraie vie, une enfance interminable, une sorte de jardin suspendu, entre ciel et terre, où s'ébattaient mère et enfants, à l'abri du mal et de la mort.

La première infidélité aux coutumes de l'enfance, ce fut cependant Pauline qui la commit. Délaissant jupes et jupons, elle ne portait plus désormais que des pantalons d'homme, un peu avachis par le long usage qu'en avait fait son mari. Ces pantalons de toile, amollis par les nombreux lavages et mis de côté par Henri, l'habillaient désormais tout l'été, soi-disant pour la garder des maringouins et des brûlots. Si d'aventure son mari entourait sa taille d'un bras fatigué et lui faisait les yeux doux, elle alléguait l'ennui d'avoir à ouvrir sa ceinture de cuir solidement bouclée.

Elle allait sur les chemins et à travers champs, bien san-
glée dans son pantalon d'homme, au grand scandale des
habitants, ses deux enfants sur les talons, et elle grossis-
sait de jour en jour. Depuis quelque temps elle s'était mise
à fumer des Players, à grandes bouffées, et elle sentait
très fort le tabac.

La nuit, avant de s'endormir, après une dernière cigarette, il lui semblait que l'odeur du tabac l'enveloppait
dans un doux linceul, une sorte d'armure vaporeuse qui
la protégeait des avances de son mari. Ne lui avait-il pas
dit un jour, se détournant avec dégoût :

— Tu pues le tabac comme un homme!

Pauline s'est alors fait couper les cheveux en brosse,
comme un petit gars qui mène les vaches au pacage, et
son mari a su qu'il était bien mal marié avec une femme
qui faisait tout pour lui déplaire.

Henri Vallières se console avec la bière et les cartes.
Dans la taverne sombre et bruyante il sait qu'il est vivant,
à moitié dissous dans des brumes d'alcool, mais vivant,
se tâtant les bras et les jambes, se répétant : Je peux marcher comme je veux, aller où je veux, je peux prendre dans
mes bras n'importe quelle femme inconnue.

Lorsque, irrémédiablement froissé, il a dû quitter femme
et enfants, Henri s'est encombré de valises, de paquets
et d'un grand panier d'osier dans lequel il emportait la

chatte de la maison. Il a laissé un billet que Pauline a lu. Elle n'a pas semblé surprise. Peut-être même l'attendait-elle, ce billet d'adieu, depuis les premiers jours de son mariage ?

Ma femme, je te quitte. Sans doute ne t'en apercevras-tu pas, tu sais si bien te passer de moi, sauf au moment de régler les comptes. Envoie-moi les factures, au fur et à mesure, et je m'arrangerai avec. Sois contente. Je pars. Fais comme si je n'existais plus. J'emmène la chatte. Gros becs.

Henri

Elle a envoyé les factures et elle a attendu les paiements. L'attente s'est faite de plus en plus longue, jusqu'à ce que, trois ans plus tard, il n'y ait plus aucune réponse de la part d'Henri. Les lettres de Pauline lui étaient retournées avec la mention « inconnu à cette adresse ». Elle s'est alors mis dans la tête de faire des gâteaux pour les vendre. Mais elle en ratait un sur deux et gaspillait quantité d'œufs et de farine. Elle envisageait de frotter des planchers et de récurer des éviers, de se louer, corps et âme, pour débusquer la crasse des autres, lorsqu'elle a fait un petit héritage. Une tante oubliée, morte à St. Bridgit's Home, lui léguait sa maigre fortune de vieille fille avare.

Il lui arrivait parfois, la nuit, dans la solitude de son grand lit, de faire un rêve, toujours le même, dont elle ne se souvenait plus au réveil. Elle en gardait seulement une impression de pitié infinie pour elle-même et pour le pauvre homme qui l'avait quittée.

Un jour, Hélène et Julien eurent quatorze et seize ans. Ce fut l'année de la grande épidémie de polio. La rentrée des classes à Québec étant retardée à cause de l'épidémie, Pauline en profita pour garder ses enfants à la campagne, le plus longtemps possible, tant sa crainte était grande.

Tous les soirs, après l'école, l'instituteur venait à la maison donner des leçons à Hélène et Julien.

Pauline fit bouillir l'eau et le lait et défendit à ses enfants de manger des cerises à grappes qui sont amères et épaississent la bouche et la langue. Le bruit courait que le mal pouvait venir de ces petits fruits sauvages qui poussent à la fin de l'été, dans les haies, en bordure des champs.

Tout d'abord, ce fut comme si les vacances continuaient sans fin. L'air qu'on respirait était encore clair, mais par moments il était tout envahi par la brume. Bientôt il fallut allumer la lampe à huile, au-dessus de la table, pour souper.

Hélène et Julien se rendaient bien compte qu'une nouvelle saison insidieusement établissait son règne autour d'eux, malgré les éclats violents du soleil sur les arbres qu'il allumait parfois comme des incendies. Il y avait des matins cotonneux de brume, des gelées blanches comme du sucre blanc sur les herbes couchées et les labours sombres.

C'est à ce moment où les traces sur le sol s'impriment facilement, à cause de l'humidité de la terre, que des empreintes fraîches de sabots ont été découvertes au matin, dans les champs, autour du village et jusque dans le petit cimetière, au bord de la rivière, tout près de l'église. Un grand étonnement puis une crainte superstitieuse prenaient à la gorge les habitants des rangs, à mesure que quelques-uns d'entre eux découvraient, au petit matin, leur cheval dans sa stalle, ainsi que d'habitude, mais fourbu et couvert d'écume, comme après une longue course.

Le curé s'est mis à bénir les écuries et les chevaux, accompagnant ses bénédictions de prières appropriées. Le maire conseilla de barricader les écuries pour la nuit. On fit le guet, se relayant l'un l'autre, dans le noir de la nuit d'automne. Mais plus rien d'étrange ne se produisait, comme si toute cette histoire de chevaux eût été tout simplement rêvée par les habitants de Duchesnay.

C'est en plein jour qu'elle a été vue pour la première fois, montée sur le cheval pommelé de Zoël Ouellet, chez qui elle habitait depuis quelque temps. Il faisait grand beau temps, un ciel bleu dur comme il y en a parfois pendant l'été des Indiens, et quantité de petits nuages floconneux tout blancs se poursuivaient dans l'air bleu. Le cheval allait au pas dans la rue de l'église, les jambes nues de la fille qui le montait à cru étaient fort écartées à cause de la taille énorme du cheval de labour.

On aurait pu croire qu'elle faisait exprès de parader lentement pour qu'on la voie bien et qu'on sache que c'était elle, la voleuse de chevaux et la reine nocturne du village. Les hommes, les femmes, les enfants, tous ceux qui n'étaient pas occupés dans les champs la regardaient traverser le village, comme une apparition. Encore un peu et elle allait leur échapper. Déjà les pas du cheval sonnaient plus drus et plus rapides sur le sol durci comme s'ils voulaient prendre leur élan.

C'est à ce moment que l'idée leur est venue de lui barrer la route et de l'empêcher de fuir. Alexis Boilard a mis son camion en travers de la rue.

Julien se trouvait là avec sa sœur, sur le trottoir, en face du magasin général. Il a pris la main d'Hélène dans la sienne et il a retenu son souffle.

Le grand cheval s'est cabré devant le camion et les longues cuisses de la fille n'ont pas su le retenir, ni ses longues mains cramponnées à la crinière. Elle a été projetée à terre. Un instant elle est restée toute recroquevillée, immobile, sur le sol, comme si elle eût été morte. Tandis qu'on s'approchait d'elle avec précaution, craignant quelque tour de sa façon, elle s'est relevée, comme une somnambule, son short bleu taché de poussière, ses genoux pleins de terre et de sang. Elle a regardé autour d'elle, ne voyant personne, s'étonnant d'être là, désarçonnée et sans défense, parmi des inconnus. Elle a dit « Maudite bête » et elle est partie, toute raide, du côté de la rivière, se désintéressant du cheval qu'Alexis tentait de capturer. Elle marchait si précautionneusement qu'on aurait pu croire qu'elle allait s'arrêter à chaque pas. Tous ses efforts consistaient à s'empêcher de boiter devant tous ces gens, massés des deux côtés de la rue, pour la voir passer.

Personne n'a osé poursuivre la fille. Les habitants ne savaient plus très bien de quoi au juste ils auraient pu l'accuser devant les autorités du village. Ni le maire ni le curé ne furent alertés. Et puis elle leur était apparue si étrange et si fière, comme montée en gloire, sur son cheval gris, insaisissable, pareille à une vision qu'ils auraient eue tous ensemble, en plein soleil, dans la rue principale, vers trois heures de l'après-midi. Eux tous qui étaient captifs d'une vie austère et monotone, voici qu'ils vivaient une aventure étonnante qui les clouait sur place de surprise et de contentement.

— Mon Dieu, faites que ça finisse pas tout de suite, tout ce théâtre inouï,

murmurait une grosse femme en se signant très vite avec son pouce sur sa poitrine énorme.

Leur attention s'est vite détournée de la longue silhouette qui s'éloignait sur la route, d'un pas raide, quasi imperceptible. C'est du côté du cheval qu'ils se sont

43

retournés, à cause de ses hennissements et du bruit qu'il faisait avec ses sabots grattant la terre. Pendu à sa crinière, Alexis lui caressait l'encolure et tentait de monter sur son dos. Il parlait au cheval, des mots féroces, proférés avec une sorte de douceur têtue et hypocrite. L'homme paraissait tout petit, comme un gnome accroché à la crinière, et le cheval se dressait sur ses jambes de derrière, miroitait de gris et de blanc bleuté, un peu comme s'il eût reflété sur sa robe frémissante le ciel et les nuages agités.

Une fois installé sur le dos de la bête, Alexis n'a pas eu à la conduire du tout tant elle paraissait pressée de rentrer à l'écurie.

Au moment de traverser le pont sur la rivière, Alexis a aperçu, à deux pas devant lui, la fille qui boitait terriblement sur les planches sonores du pont, se croyant à l'abri des regards. Il a voulu la prendre en croupe pour la ramener chez Zoël Ouellet, mais elle a dit non de la tête, avec un air furieux. Ses yeux paraissaient tout blancs dans sa figure barbouillée de sang et de terre. Une mèche de cheveux noirs était collée à sa joue comme une algue sur le visage d'un noyé. Alexis ne pouvait se rendre compte si elle était vraiment belle ou tout simplement étrange. Mais il se souvenait de ses longues cuisses écartées lorsqu'elle était sur le cheval.

Une fois de retour à la maison, Julien et Hélène se sont mis à raconter, avec force gestes et détails, la traversée du village d'une fille inconnue, montée sur le cheval pommelé de Zoël Ouellet. Rien ne fut omis, ni le camion mis en travers de la rue, ni la chute brutale de la fille dans la poussière, ni son départ sur la grande route, ni l'éclat argenté du cheval, dressé sur ses jambes de derrière, contre le ciel. A mesure qu'ils parlaient et que Pauline, les sourcils froncés, les écoutait, muette et glacée, ils avaient l'impression de commettre une mauvaise action, de se trahir eux-mêmes, de divulguer quelque chose de précieux qui aurait dû demeurer secret.

Dans la longue salle basse, aux murs rustiques, le silence de Pauline durait. On aurait pu croire qu'elle s'emparait de chacun des mots prononcés par ses enfants pour les réduire au silence, les enfermer dans son giron, comme s'ils n'avaient jamais existé, ni l'étrangère venue à Duchesnay pour changer la vie qui était pourtant bonne et sans histoire.

Bientôt il n'y eut plus rien de palpable et de vivant dans l'air étouffant qui s'épaississait dans la pièce, rien d'exprimé et de dit entre la mère et ses enfants, qu'un immense refus de part et d'autre.

La première, Pauline éleva la voix, à peine plus haut qu'un souffle sourd, arrachant chaque mot au silence

comme s'ils avaient de la peine à sortir de sa gorge :
— Cette fille n'est qu'une étrangère, venue d'on ne sait
où, une voleuse de chevaux, une extravagante, une folle,
méfiez-vous, si jamais vous la rencontrez, ne lui adressez
surtout pas la parole.

Hélène et Julien se sont couchés, ce soir-là, dans leurs
chambres contiguës, aux murs de sapin bruni, sous les
combles, un instant tristes comme si Pauline tentait de
leur voler jusqu'au souvenir de leur après-midi merveil-
leux au village. Ils se consolèrent pourtant presque tout
de suite car dans leur fraîche mémoire, jusque dans leur
sommeil, se dressait encore et encore un cheval de haute
voltige, monté par une créature fabuleuse.

Elle est rentrée chez les Ouellet par la petite porte de côté pour qu'on ne la voie pas en si piteux état. Elle a été tout de suite dans sa chambre, au premier étage, refermant la porte derrière elle. La voici toute nue, debout sur un journal déplié par terre, en guise de descente de bain. La cuvette à fleurs, le broc plein d'eau froide. Elle s'éponge de la tête aux pieds. L'eau dans la cuvette devient toute rouge. Elle a de nombreuses écorchures aux genoux et aux jambes. Elle pleure comme si elle n'avait jamais pleuré, découvrant tout à coup le sel des larmes et sa brûlure sur son fin visage. Elle pleure parce qu'elle est humiliée et offensée, seule au monde. Elle a honte parce que Alexis Boilard l'a surprise boitant sur le pont qui traverse la rivière.

— Mademoiselle Lydie, c'est prêt, le manger est sur la table.

Mme Ouellet appelle à travers la porte fermée.

Lydie met des bas de soie et sa robe la plus longue, pour qu'on ne voie pas ses écorchures. Elle peigne sa chevelure mouillée et l'attache soigneusement sur sa nuque avec un ruban de velours noir.

Durant tout le souper elle demeure silencieuse, craignant de voir son ressentiment s'échapper d'elle en mots sauvages, lâchés dans la grande cuisine claire des Ouellet.

— Vous boudez, mademoiselle Lydie, c'est pas gentil !

Ce n'est qu'au moment du dessert, lorsqu'elle a découvert la tarte aux pommes toute chaude dans son assiette, qu'elle a senti que la vie devenait de nouveau bonne et légère. Elle déclare :

— C'est la meilleure tarte aux pommes de ma vie !

Mme Ouellet sourit d'aise.

C'est alors que Zoël Ouellet, encouragé par le sourire de sa femme, s'est levé, tout droit, en face de Lydie, et lui a défendu à l'avenir de monter ses chevaux. Sa voix étouffée tremblait un peu entre ses dents tachées de tabac.

— Mes chevaux sont pas faits pour le cirque, et puis c'est pas convenable pour une jeune fille comme vous.

Elle termine sa tarte aux pommes avec moins de bonheur tandis que le mot « convenable » lui reste en travers de la gorge.

Des faux airs d'été et des coups de soleil fou sur la couleur brune des champs labourés. Ces courtes journées flamboyantes, ces feuillages rouge vif, il n'y a rien de plus beau au monde, et le soir ramène très tôt toute cette splendeur dans le noir profond qui est comme un pressentiment de l'interminable hiver.

Pauline a déjà commencé son enquête chez tout un chacun, sans en avoir l'air, tout simplement comme si elle s'informait du temps qu'il fait. Mme Jobin au magasin général, Mélanie Richard qui est couturière à façon, les demoiselles Pruneau, joueuses d'harmonium à l'église, à tour de rôle, étant jumelles, Jean-Baptiste Dumont, instituteur, originaire de Pont-Rouge, Réjeanne Cloutier, ménagère du curé, bavarde et féroce, des yeux tout le tour de la tête.

Je retournerai tout le village sens dessus dessous, se disait Pauline, je le secouerai à tour de bras. Il faut que les renseignements volent dans l'air comme la poussière quand on bat un tapis.

Ils lui ont dit tout ce qu'ils savaient sur la jeune pensionnaire des Ouellet, peu de choses en vérité : Lydie Bruneau, dix-sept ans, voleuse de chevaux, emmenée à Duchesnay par ses parents et confiée aux Ouellet qui louent des chambres à la belle saison.

Julien et Hélène parcourent les chemins et les champs, jusqu'au petit bois des Ours, dans l'espoir de voir apparaître Lydie de nouveau.

La campagne est pleine d'odeurs de feuilles macérées et de terre humide. La plupart du temps, la rivière est bleue avec des vagues brillantes. Julien et Hélène montent et descendent sans arrêt. Le pays est plein de côtes et de creux, entre les côtes. C'est un peu comme si chacun vivait dans son compartiment bien à lui. Une combe, une élévation, une élévation, une combe, le pays est plein de lieux secrets, de paysages enfouis ou étalés. Une terre tout en étages. Il y a le village proprement dit avec l'église, le cimetière, le presbytère, la grande école, quelques maisons de bois, le pont qui enjambe la rivière. Tout cela est plat et creux, à hauteur de rivière, fait pour garder la brume et l'humidité. Pour s'échapper il faut grimper la côte chez Savard et on arrive sur le grand plat jusqu'à la petite gare violette. La côte chez Moïse nous amène dans la direction opposée, vers Pont-Rouge, par la route de sable, au bord de grands champs étales, bordés par la montagne basse et trapue, couleur d'ardoise. La rivière, vue de là-haut, coule dans une profondeur, et elle devient agitée, toute hérissée de rapides blancs, dans un poudroiement d'eau et un fracas sauvage, coupé en deux par une île.

Les Zoël Ouellet ont bâti leur maison sur cette côte escarpée, bien à l'abri de la rivière et de son bruit entêtant, au milieu des champs bien alignés, tout au bout d'une longue allée, difficile à entretenir l'hiver à cause de la neige. Trois peupliers argentés bruissent au-dessus de la maison.

50

Lydie soigne ses écorchures et ronge son frein, sous les peupliers, se demandant comment elle pourrait bien faire désormais pour se procurer un cheval et le monter sans ameuter tout le village. En attendant elle s'ingénie à enfiler des perles de verre multicolores très fines sur un fil quasi invisible.

Fidèle à la promesse qu'il s'était faite de revoir Lydie, Alexis Boilard est arrivé chez les Ouellet, un beau dimanche après-midi, avant que les blessures de Lydie soient tout à fait cicatrisées.

Elle se tenait assise dans l'herbe, sous les peupliers, et elle l'a vu venir de loin menant son camion à grande allure, tout le long de l'allée, dans un nuage de poussière.

Il demande de ses nouvelles et lui offre tout de suite de venir faire un tour dans son camion. Elle fait non de la tête comme si elle était muette et en même temps elle le regarde d'un air moqueur, ses yeux obliques à moitié fermés, à cause de la grande lumière. Il dit « Pourquoi ? » d'un air ahuri. Elle le regarde toujours entre ses cils. Il voit une petite lueur verte qui cligne.

Il est là, planté devant elle, avec sa figure rouge de soleil, ses cheveux luisants de brillantine, sa chemise blanche échancrée sur sa poitrine pâle. Il s'est mis en frais pour elle et voilà qu'elle refuse de monter dans son camion. Têtu, il répète « Pourquoi ? ». Un haussement d'épaules et elle retourne à ses perles avec un froissement de sourcils. On entend dans le silence le fin petit bruit des perles de verre entrechoquées dans une boîte de fer-blanc.

Il vire sur ses talons très vite, prêt à fuir, fait quelques pas en direction du camion garé devant la porte de la cuisine, puis il revient sur ses pas. Un instant Alexis regarde en silence Lydie qui enfile des perles comme une fanatique. Il dit très bas, soupesant à mesure chacun de ses mots :

— Il se pourrait bien que quelqu'un de bien connu de ma famille ait des chevaux à louer pour monter. Si vous voulez, je peux m'informer auprès de la personne en question, un de ces jours...

Elle répète comme un écho, sans lever la tête :

— Un de ces jours...

Pour la première fois il entend sa voix un peu basse et rauque qui le bouleverse inexplicablement.

Comme il reste là, debout devant elle, sans bouger, elle se lève brusquement et lui met un collier de verre autour du cou :

— En attendant, vous porterez ça, jour et nuit, en souvenir de moi.

Il ne bouge toujours pas, l'air penaud et renfrogné, les oreilles écarlates, le collier de verre autour du cou. Elle lui fait signe de s'en aller d'un petit geste impérieux de la main :

— Salut, Alexis Boilard, un de ces jours...

Et voici que, dans un éclair, il retrouve en lui l'image qu'il s'était toujours faite de sa petite personne ombrageuse et virile. Un coq de village se dresse sur ses ergots, la crête flamboyante, emplit son cœur de dépit et de violence. Il arrache le collier de son cou, le fil casse, les perles se répandent, brillent de-ci de-là dans l'herbe. Sa voix tremble de colère.

— Voleuse de chevaux, étrangère, boiteuse...

D'un bond il rejoint son camion, démarre dans un fracas de vitesse mal embrayée.

Pendant ce temps Hélène et Julien courent la campagne, dès qu'ils peuvent s'échapper, dans l'espoir d'apercevoir Lydie. Le soir, sous la lampe, penchés sur leurs cahiers d'écoliers, ils deviennent distraits, rêvent en silence de la folle écuyère montée sur le cheval pommelé de Zoël Ouellet.

La pluie est venue tout d'un coup, s'est installée, jour et nuit, sur le paysage qu'elle couvre d'un rideau gris, à peine transparent. Son bruit égal s'insinue jusqu'à l'intérieur des maisons de bois, déjà calfeutrées pour l'hiver. Sur les toits de bardeaux on croirait entendre piétiner une foule patiente et têtue, innombrable, interminable. Le vent s'en est très vite mêlé et les feuilles glorieuses de l'été des Indiens se sont ternies, sont tombées en tourbillons serrés. L'odeur de la terre mouillée est devenue si forte qu'elle imprègne à présent bêtes et gens qui la respirent à petits coups comme leur propre odeur.

Il y a un grand banc au magasin général, fait d'une planche posée sur des barils pleins de clous de toutes les tailles, depuis les broquettes jusqu'aux clous de six pouces. Julien et Hélène sont assis sur ce banc, dans l'odeur de cuir des harnais, accrochés au mur, au-dessus de leurs têtes. Leurs pieds, chaussés de bottes de caoutchouc, bien à plat sur le plancher plein de nœuds, font des flaques et des rigoles. Ils attendent, dans leurs cirés jaunes, des paquets d'épicerie sur les genoux, que la pluie diminue pour rentrer à la maison. On ne voit rien à travers la porte de moustiquaire, tout argentée de pluie, mais on entend le bruit de l'eau rabattue en rafales sur la campagne alentour.

Elle est entrée, toute ruisselante, et la porte a claqué derrière elle. Tous ceux qui sont là en attente d'une accalmie se mettent à la dévisager. Elle dit de sa voix râpeuse, presque bas, comme pour une confidence :

— Mon âme pour une palette de chocolat !

Aussitôt servie elle s'est assise sur le banc à côté de Julien et d'Hélène et elle a mangé sa tablette de chocolat, sans les regarder. Elle est si trempée qu'elle dégouline de partout par terre et jusque sur le banc, tout près de Julien et d'Hélène qui peuvent respirer son odeur de laine mouillée. Ses cheveux collés à son crâne lui donnent l'air d'un bonze tondu. Julien devait la retrouver ainsi bien plus tard, dans ses rêves, et elle avait une petite tête de mort.

Elle rit, la bouche pleine, et ses dents sont tachées de chocolat. Les deux adolescents à ses côtés, figés dans leurs imperméables luisants, rêvent d'être hors de sa portée et ne peuvent bouger, pareils à des oiseaux fascinés.

Elle parle sans se retourner, ne s'adressant à personne en particulier. Tout le monde dans le magasin la regarde et l'écoute. Elle n'élève pas la voix, et cette voix basse et rude qu'elle a les comble dans leur désœuvrement, les met en état de moindre défense, quasi à sa merci dès sa première parole.

Elle évoque la pluie et le beau temps, le soleil et la grisaille, les chevaux qui sont des bêtes superbes, ses parents qui habitent le Claridge à Québec, son ennui qui dure sous la pluie, son envie de vivre qui est très grande et la possède comme une fièvre. Elle a l'air de se parler à elle-même et ses dernières paroles sont à peine audibles. Le silence de tous fait suite à ses paroles. Ils n'osent bouger de peur d'être tout à coup brutalement rejetés dans la vie de tous les jours.

C'est à ce moment qu'Alexis est entré, faisant à son tour claquer la porte derrière lui. Chemise à carreaux, bottes de cuir, petit front buté. Il a tout de suite vu qu'elle était là sur le banc et il la regarde effrontément, tandis que les conversations reprennent à voix basse dans le magasin.

Dès qu'elle a reconnu Alexis elle s'est retournée vers Julien et Hélène.

— Ah, les beaux Petits, Petits, Petits que voilà, à côté de moi, tout jaunes comme des serins !

Alexis rit très fort. Il se croit rentré en grâce auprès de Lydie puisqu'elle en insulte d'autres à sa place. Une sorte de transfert qui le rend heureux et le fait plastronner. Il s'accoude au comptoir, envoie de grosses bouffées de cigarette au plafond sans cesser de fixer Lydie des yeux.

Depuis le temps qu'elle est regardée elle devrait avoir l'habitude. Elle avait un ou deux ans à peine que déjà ses parents, les soirs de réception, l'exposaient toute nue, en plein milieu de la table, en guise de centre de table, parmi les fleurs. La nappe blanche, l'argenterie, la porcelaine et les verres fins brillaient devant elle comme une ville entière avec ses merveilles bien alignées. Il y avait des petits éclairs de ravissement étranges dans les yeux des hommes en tuxedos et des femmes en robes longues, tout autour de la table, qui applaudissaient à tout rompre l'enfant nue au milieu de la table. Ce bruit de torrent dévalant sur elle, elle l'entendra toujours. Lydie est devenue grande sous ces mêmes regards d'hommes et de femmes oisifs et avides de plaisir. Très tôt les amis de son père l'initièrent au scotch, à la cigarette et au flirt. Le désir de certains d'entre eux était parfois si pressant qu'elle avait l'impression qu'ils convoitaient plus que sa beauté naissante, jusqu'à ce qui était sacré à l'intérieur même de cette beauté. Elle les injuriait alors de toutes ses forces, se moquant d'eux avec un art de la dérision qui les étonnait.

Voici qu'elle ne peut plus supporter l'air confiné du magasin et tous ces yeux braqués sur elle. Elle se retourne vers Julien et Hélène.
— Petits, Petits, Petits, venez vite. On sort. On étouffe, ici. Venez vite. On sort.
Ils se sont levés tout empêtrés dans leur ahurissement. Ils ont suivi Lydie sans discuter, comme empêchés de discuter par l'envie très forte qu'ils avaient d'être dehors avec elle, à l'air libre, loin de tous ces gens réfugiés au magasin. Ils ont tout de suite été sous la pluie avec elle, dans la même pluie qui pleuvait sur elle, tandis que Lydie les attirait sur la route, les tenant chacun par la main, en criant.

— La pluie, la pluie, c'est le fun, le fun, moi j'aime ça à mort !

Elle a très vite remarqué que les gouttes d'eau n'arrivaient pas à pénétrer la chevelure frisée serré de Julien, se posant dessus comme du givre sur un buisson. Pour ce qui est d'Hélène, elle ne voit que deux longues nattes pendantes et un profil enfantin, tout rose sous l'averse.

Elle parle vite, comme si elle n'avait que très peu de temps à sa disposition pour raconter sa vie entière, là, devant ces deux enfants qui déjà attendent tout d'elle. Elle dit que ses parents l'ont mise en pension chez les Ouellet sous prétexte de lui éviter l'épidémie de polio à Québec. Ils en ont profité pour faire un voyage à New York.

— Je suis tannée, moi ! Je moisirai pas longtemps ici, c'est certain. Un beau jour je partirai comme je suis venue. Aujourd'hui c'est bonjour les Petits, demain ce sera adieu les Petits.

Elle scande ses dernières paroles, les chante presque.

A son grand étonnement Julien s'entend dire, sa voix qui mue lui échappant, soudain caverneuse, pour repartir flûtée, dans l'air mouillé :

— Ne partez pas tout de suite !

Hélène, encouragée par son frère, risque tout bas :

— On vient seulement de se rencontrer...

Lydie les accompagne jusqu'à la maison des Michaud, au bord de la rivière, louée par Pauline pour l'été.

Pauline soulève le rideau de mousseline à fromage posé sur les petits carreaux et elle voit les trois silhouettes mouillées sous la pluie, devant la porte, un instant, avant que Lydie disparaisse sur la route.

Ce soir-là Julien et Hélène ont connu la première scène que Pauline leur fit. Elle les invectivait et elle pleurait.
— Je vous défends de revoir cette fille. Personne ne sait d'où elle sort. C'est une aventurière, une intrigante, une...
Sa voix, comme d'habitude, était si éteinte et monotone, quoique furieuse, qu'ils devaient tendre l'oreille pour saisir toute sa colère.

Tandis que Lydie, seule sur la route, trempée et frissonnante, se répète à mi-voix, les mains dans les poches : Je les affranchirai, moi, ces Petits, tous les deux. Je serai leur mauvais génie.

Une vague de fond, sauvage et jaillissante, la submerge, venant du plus obscur d'elle-même, alors qu'elle croit n'obéir qu'à sa propre libre volonté de distraire son ennui.

La vie fait semblant d'être comme avant alors qu'on sait très bien que rien ne sera plus jamais comme avant. Julien et Hélène font tout ce qu'ils peuvent pour éviter une nouvelle confrontation avec leur mère tandis que le souvenir de la journée de grande pluie persiste dans leurs têtes avec l'image dégoulinante de Lydie les tenant par la main, comme des enfants qu'on emmène au bout du monde. La surveillance de Pauline se fait habile et discrète, elle les comble d'attentions gentilles et de caresses légères. Le moindre retard au retour de leurs promenades est considéré comme une offense, une sorte de couteau qu'ils s'amuseraient à lui planter en plein cœur.

— Il est six heures passées, j'étais morte d'inquiétude, d'où sortez-vous donc ?

— De chez Thibault le forgeron, tu sais bien, voir ferrer les chevaux. Je t'avais pourtant prévenue avant de partir.

La plupart du temps elle les accompagne sur les routes et à travers champs. Elle est infatigable. Rien ne la rebute. Ni les côtes ni les ornières. Ils désespèrent d'être jamais seuls, lâchés dans la campagne comme deux maigres lévriers sans collier.

Le soir, sous la lampe, lorsque leurs songes se font trop lourds, elle s'approche d'eux, à pas de loup, les embrasse doucement sur le front et dans les cheveux, murmure d'un souffle le mot magique, à deux reprises, pour le fils d'abord, pour la fille ensuite :

— Mon amour.

Ce n'est pas que Lydie ait tout à fait disparu du paysage d'automne. Souvent ils l'aperçoivent, au détour d'un chemin, penchée sur sa bicyclette, pédalant allégrement. Elle leur fait signe de la main, les salue d'un air moqueur, les interpelle :

— Salut, les Petits !

Julien et Hélène n'ont que le temps de remarquer la pâleur subite de Pauline que déjà Lydie s'éloigne sur la route.

— Ne la regardez pas, surtout. Faites comme si vous ne la voyiez pas.

La voix de Pauline se fait mourante, à peine audible.

Un beau jour d'octobre, vers quatre heures de l'après-midi, elle a été de nouveau avec eux, dans la chaleur étouffante de la forge, les lueurs du feu, l'odeur puissante des chevaux. Elle a l'air d'être chez elle, maîtresse absolue de la forge, régnant sur le feu, empestant le cheval et la corne brûlée.

Ils la regardent saisis de crainte comme si elle faisait partie d'un mystère redoutable, célébré sous leurs yeux, dans des gerbes d'étincelles et des piaffements sauvages.

Lydie ne semble pas les voir. Seul compte pour elle le jeune cheval alezan qui se débat et refuse de se faire ferrer.

Le forgeron, torse nu, émerge des lueurs et du tapage. Il lève un bras énorme aux tatouages rouges et bleus. Sa voix caverneuse s'échappe de sa bouche édentée :

— Ouste, dehors, les enfants ! On a trop de travail à faire ici dedans pour vous endurer à niaiser comme ça dans notre dos ! Dehors !

Ils se sont retrouvés tous les trois, une fois de plus, sur la route, tandis qu'on entendait le cheval à l'intérieur de la forge hennir et se débattre et des hommes qui juraient très fort.

— Salut, salut, les Petits ! Vous n'êtes pas très polis, mes enfants. Depuis le temps que je vous rencontre sur la route, vous pourriez bien répondre à mes saluts.

Elle répète « Salut » et chaque fois elle lève le bras, agite la main au-dessus de sa tête.

Ils tentent de répondre un peu comme des automates au mécanisme usé, n'arrivant plus à terminer leurs gestes, comme n'ayant plus de force, levant le bras, pas plus haut que l'épaule, le laissant retomber mollement. Son rire moqueur résonne dans l'air sonore et froid.

Elle parle de l'automne qui est sa saison préférée, des chasseurs qui empoisonnent l'air avec leurs fumées et leurs coups de fusil mortels, des enfants aux cheveux châtains qu'on peut prendre pour des chevreuils.

— Attention, les Petits, méfiez-vous des chasseurs et... des chasseresses...

Elle a un grand rire de gorge, enfonce ses mains dans les poches de sa veste de laine bleue. Sa longue écharpe rouge traîne derrière elle.

Ils l'écoutent parler et rire, sont sous le charme, sans un mot ni un geste qui puisse trahir leur bonheur d'être avec elle.

Bientôt la voix de Lydie change, devient plus rauque et agressive :

— Quels drôles de Petits vous faites, figés comme des statues, muets comme des carpes. Quelqu'un vous a mangé la langue ? Je gage que c'est la mère renarde, prise de panique, qui a commencé sa besogne. A la moindre alerte, c'est bien connu, les mères renardes dévorent leurs petits pour les protéger. Méfiez-vous, les enfants, madame votre mère a les dents longues et l'alerte, c'est pour aujourd'hui même. L'alerte, c'est moi. Je suis là devant vous en chair et en os. Le danger public, la sorcière, c'est moi. Craignez le retour à la maison. Vous serez punis, c'est certain, hachés menu comme chair à pâté, pour m'avoir rencontrée à la forge.

De nouveau son rire en cascade.

Julien se retourne vers sa sœur.

— Viens, Hélène. On s'en va.

Lydie cesse de rire brusquement, comme épuisée d'avoir tant ri. Elle est soudain pleine d'onction et de douceur surprenante. Sa voix est de nouveau prenante, s'entoure de silence entre chaque mot, n'en finit pas de les atteindre et de les blesser.

— Il ne faut pas avoir peur de moi, les Petits. Regardez-moi bien. Je m'appelle Lydie Bruneau, je m'ennuie, et j'ai dix-sept ans. Tout à fait dans vos âges, les enfants, un peu plus déniaisée que vous, c'est tout...

Elle s'avance tout près d'eux, retrouve son regard moqueur, répète :

— Regardez-moi bien.

Hélène se détourne, tire son frère par la manche. Sa voix tremble, au bord des larmes :

— Allons-nous-en, Julien. Maman nous attend.

Julien ne baisse pas les yeux, malgré le soleil qui l'aveugle. Il fixe Lydie sans cligner. L'image de Lydie tremble devant lui. Il ne discerne ni les yeux verts ni la bouche gonflée. Et soudain voici qu'il voit distinctement le cou robuste et blanc qui se détache de l'écharpe rouge, avec une netteté étrange, une insistance qui le gêne. Il n'aurait qu'à mettre ses deux mains autour du cou de Lydie et serrer un peu pour que rien ne se produise entre eux de ce qu'il désire et redoute à la fois. Cette drôle d'idée qu'il a l'effleure à peine, un instant, dans l'éblouissement du soleil, comme un mirage.

Lydie s'impatiente d'être une cible vivante, là devant ce garçon qui la dévisage sans la voir, semble-t-il. Elle bouge. Elle s'étire dans la lumière. Julien et Hélène font mine de s'en aller. Elle les retient, se glissant entre eux, leur prend la main. Elle leur montre un vieux bouleau fourchu, au bord de la rivière, non loin de la forge, dans une espèce de petit champ en friche qui n'appartient à personne.

— Si on s'écrivait des billets doux, les Petits ? La mère renarde n'a quand même pas défendu qu'on s'écrive ? Gageons qu'elle n'y a même pas pensé ? La boîte aux lettres est là, au creux de la fourche du vieux bouleau. Compris ? Je commence la première pour vous encourager. Un tout petit billet de rien du tout pour commencer, comme qui dirait une présentation de ma personne et de mon histoire personnelle. Après on verra. Peut-être est-ce qu'on ira jusqu'aux épîtres et aux poèmes. Ça dépend de vous. De vos réponses à mes lettres. Vous verrez. Ce sera très amusant. A demain, les Petits. Le courrier passe à dix heures.

Elle a déjà enfourché sa bicyclette et son écharpe rouge flotte derrière elle comme une oriflamme.

Julien a été pris d'une sorte de frénésie de dessiner. Des dessins à l'encre de Chine, bien noire, dans ses cahiers d'écolier. Des pages entières de fleurs minuscules, des insectes, des pois, des traits, des carreaux, tout un fond sombre de tapisserie au petit point sur lequel se détache, à plusieurs endroits, la forme claire d'un cheval éclatant de lumière blanche.

— C'est comme ça que tu travailles?

Pauline est devant lui, qui regarde les dessins.

Elle met sur la table, en face de Julien, une part de gâteau tout chaud qu'elle vient de cuire. La gentillesse de Pauline exaspère Julien. Elle veut m'acheter, pense-t-il. Elle est effrayante et c'est ma mère.

Devant elle qui s'obstine à examiner ses dessins il trace à l'encre rouge une large bande écarlate qui s'enroule autour de l'encolure du cheval. Il fait descendre cette bande tout le long de la page en la tortillant plusieurs fois sur elle-même tout comme s'il froissait et défroissait légèrement entre ses mains l'écharpe de Lydie.

Pauline dit :

— Mon Dieu, Julien, ton cahier de français!

Pauline ne voit pas que l'écharpe rouge, en barrant toute la page du cahier, rend illisible le premier poème de son fils, griffonné sur cette même page. Quelques lignes à

peine que Julien rêve d'offrir à Lydie comme un cadeau
étrange et sans prix.

Nous entrerons dans des villes splendides
Flambant nus
Montés sur des coursiers d'épouvante.

Après avoir fureté partout Julien a découvert, sous une
pile de linge entassé, sur une tablette, dans la salle de
bains, un vieux rasoir ayant appartenu à son père. Délaissant la pince à épiler de sa mère, Julien, pour la première
fois, se fait la barbe comme un homme, face à la moitié
de miroir accrochée au-dessus du lavabo. Tandis
qu'Hélène s'impatiente et cogne dans la porte à coups
redoublés, il contemple longuement son visage rougi par
le feu du rasoir. Il tâche de deviner ce qu'il adviendra dans
le temps de cette figure qui est la sienne, encore incertaine et enfantine, et qu'il désire virile et rude entre toutes, avec une barbe aussi frisée que sa chevelure rebelle.

Le lendemain le vieux bouleau blanc était devenu tout rose sous la pluie. Julien n'a plus qu'une idée en tête, courir vers le vieil arbre, dénicher au creux de la fourche le billet promis par Lydie. Il tente à deux reprises de semer sa sœur Hélène qui s'attache à ses pas.

— Attends-moi, Julien! Attends-moi!

— Quelle colle forte tu fais, ma pauvre Hélène!

Deux lettres écrites sur du papier bleu sont déposées au creux du bouleau, à l'abri de la pluie, dans une boîte vide de biscuits anglais.

— Ça sent bon!

Hélène renifle sa lettre d'un air gourmand.

— Bah, des enfantillages tout ça!

L'air désinvolte, Julien froisse sa lettre et l'enfouit dans sa poche. Il s'éloigne sur la route à grandes enjambées.

Hélène a voulu lire sa lettre tout de suite, sans plus attendre. Elle s'est assise sur les cailloux, au bord de la rivière, avec les vagues qui venaient jusqu'à ses pieds et la pluie qui lui tombait dessus. Elle a ouvert sa veste de laine pour s'y cacher la figure et lire sa lettre à l'abri de la pluie.

Sur la lettre d'Hélène il y a une longue ligne de X à la suite de laquelle on peut lire :

Hélène, tu es belle comme un tout petit bourgeon à moitié froissé, pas encore déplié, tout bouillonnant de sève, bon à croquer. Tes nattes de petite fille modèle mériteraient d'être défaites et peignées dans toute leur longueur, étalées au grand jour. Si tu veux, je t'apprendrai à faire de la bicyclette. XXX.

Lydie

Lorsque Hélène a relevé la tête, après avoir appris sa lettre par cœur, elle l'a longuement mâchouillée. Il lui a fallu boire de grandes gorgées d'eau de rivière, puisée dans ses deux mains jointes, pour avaler le papier bleu, réduit en bouillie.

Hélène est rentrée seule à la maison. Pauline l'a longuement flairée, comme une chatte son chaton.

— D'où viens-tu ? Tu sens la pluie et les feuilles mortes, ma fille, que c'est pas croyable. Quelle idée de se promener sans imperméable par un temps pareil. Où est ton frère ?

Pauline prend la veste de sa fille et la secoue vigoureusement après avoir vidé les poches.

Sauvée, pense Hélène, je suis sauvée. Ma mère n'a rien senti avec son flair terrible, ni papier bleu, ni biscuits anglais, ni rangées de X, ni mensonge, ni trahison, rien qu'une odeur d'automne qui me navre inexplicablement.

Pauline met la veste d'Hélène à sécher près du poêle de la cuisine. Elle répète sa question :

— Où est ton frère ?

Hélène hausse les épaules, retient sur sa langue la réponse toute prête, tirée de son Histoire sainte :

— Suis-je la gardienne de mon frère ?

Il marche à grands pas sur la route qui borde la rivière, les mains dans les poches, le menton enfoncé dans le col relevé de sa veste étriquée.

Le petit champ avec son vieux bouleau fourchu est loin derrière lui. Il marche toujours. Il lui semble que tout son corps brûle sous les vêtements mouillés. Il longe la rivière, la perd par à-coups, tandis qu'un espace d'herbes et de fardoches s'installe entre lui et la rivière. Parfois un champ entier apparaît alors que la rivière qu'on ne voit plus continue au loin son murmure d'eau vive. Puis de nouveau il voit de tout près le bras d'eau noire entre l'île et la terre ferme, là où s'est noyé, l'année dernière, le petit garçon du forgeron. Le bout plat de l'île, couvert de billots, sablonneux comme une plage, s'estompe sous la pluie.

Il entend l'angélus de midi qui sonne étrangement clair dans la campagne noyée de brume. Il sait que Pauline l'attend pour dîner, mais il n'a qu'une idée en tête, mettre le plus d'espace possible entre sa mère et lui, afin de pouvoir lire sa lettre en paix.

La pluie a cessé. L'île est loin derrière lui maintenant. Les rapides résonnent en sourdine à son oreille depuis un bon moment déjà. La brume persiste, légère et blanche, monte de la rivière, imprègne son visage, ses mains, ses vêtements trempés. Il frissonne. Rêve de se réchauffer, de tenir entre ses mains, d'approcher ses lèvres de ce verre d'alcool brûlant qu'il n'a jamais goûté.

Une grange abandonnée, à moitié écroulée, trapue, de guingois, au bord de la route. Un coup de genou dans la porte vermoulue et Julien s'écroule dans le foin sec qui sent la poussière.

Sa solitude si bien gagnée s'étend autour de lui dans l'ombre. Son cœur bat à grands coups dans sa poitrine. Ce n'est que la fatigue d'avoir tant marché, se dit-il pour se rassurer. Rien ne me tourmente vraiment. Je n'aime encore rien ni personne. Ses vêtements mouillés lui collent à la peau. Sa sueur glacée coule en rigoles entre ses omoplates. Ses doigts gourds n'arrivent pas à sortir la lettre de Lydie de sa poche. Une peur étrange le fait trembler. Il craint plus que tout au monde l'insulte et la dérision qui pourraient lui venir de Lydie.

Salut, mon petit Julien. Il ne faut pas avoir peur de moi, mon cher trésor bêta. Celle qui régente ta vie a tort de t'obliger au silence. Défense de me parler. Mais je suis là qui veille. Je saurai bien te confesser, mon ange, et ta petite sœur avec toi. Tu souffres violence, mon bel agneau frisé. Rends-toi. Je t'apprendrai les poètes maudits et tu verras comme tu leur ressembles au fond de ton petit cœur innocent.

Lydie

Julien examine longuement son poignet maigre émergeant de sa manche trop courte. Je grandis à vue d'œil, pense-t-il, ma mère me le répète sans cesse. Bientôt je serai

71

grand de toute ma taille d'homme et je me mesurerai avec cette fille qui se moque de moi. Une lettre de prétentieuse qui s'écoute parler. Voilà ce que j'en fais. Il fait mine de déchirer la lettre de Lydie, se reprend aussitôt, replie soigneusement le papier bleu, le remet dans sa poche comme s'il avait peur de l'abîmer. « Lydie, Lydie, Lydie », répète-t-il à voix haute dans le silence de la grange.

Le foin craque sous son poids. Julien se tourne et se retourne, envahi peu à peu par une rêverie cruelle et douce à la fois, si proche de la fièvre qu'il ne peut s'en défendre. Il s'enfonce bientôt dans un demi-sommeil d'où il s'échappe par à-coups, tente de ramener au grand jour des fragments de poèmes fabuleux, entrevus en songe, offerts à Lydie, aussitôt ravalés dans la nuit.

Il s'est levé, reboutonne sa veste, claque des dents, craint d'attraper froid. Rêve de retrouver au plus vite la maison chaude qui l'attend au village.

Mais avant d'atteindre la maison il doit marcher encore un bon bout de chemin, alors que ses jambes se dérobent sous lui. Il lui faut surtout inévitablement repasser devant la forge.

Ce n'est tout d'abord qu'une lueur comme un vieux fanal à travers la brume, au bord de la route. Une sorte de balise réconfortante dans le paysage englouti. Il va vers cette lueur comme quelqu'un qui serait perdu. Ivre de fatigue, il est attiré par la flamme de la forge comme un papillon par le feu d'une lampe. Il se raconte des histoires pour se rassurer. Une escale, rien qu'une petite escale, sur le chemin du retour, se répète-t-il, le temps de me réchauffer les mains et tout le corps avant de rentrer à la maison. L'espoir de revoir Lydie l'amène bientôt, pieds et poings liés, sans force et sans défense, sur le seuil de la forge.

Le voici dans la chaleur étouffante. Il respire l'odeur d'étable et d'enfer. Ses vêtements mouillés lui fument sur le corps. Il doit faire un effort pour reconnaître Lydie parmi les enfants assis par terre, coude à coude, dans l'ombre, fascinés par le spectacle du feu et des chevaux.

Elle se lève et vient vers lui, souriante et extasiée, comme pour lui confier sa vie tout entière. S'approche de lui tout près, murmure dans un souffle :

— J'ai la passion des chevaux.

Julien s'entend dire, sa voix passant à peine dans sa gorge serrée, comme s'il avouait à son tour sa vérité redoutable :

— J'ai la passion de vous.

Le temps d'entendre le rire féroce qui secoue le forgeron, pareil à une tempête, et Julien se précipite hors de la forge.

Tandis que Pauline ne quitte pas le chevet de son fils brûlant de fièvre, la petite Hélène en profite pour se rapprocher de Lydie.

Rencontres à la forge, longues promenades dans la campagne, échanges de billets bleus au creux du vieux bouleau.

Ma douce petite créature androgyne, tes petits seins, tes hanches étroites, ta candeur ineffable, tes beaux cheveux. Je te veux confiante et abandonnée entre mes mains comme si j'étais tout et toi rien du tout. Je te désire obéissante au quart de tour. Un seul frémissement de sourcils de ma part doit t'amener au bord des larmes, et je serai ta reine et ta maîtresse jusqu'à ce que je disparaisse à l'horizon comme une journée qui a fini son cours. Si tu le veux je t'emmènerai jusqu'aux portes de la mort. Si tu en réchappes rien ne sera plus jamais comme avant pour toi. Tu seras reine et maîtresse à ton tour. Mais avant il faut que tu passes les épreuves, toutes les épreuves que je te proposerai. Après seulement tu deviendras forte, indépendante et rusée, face à ta mère qui rêve de t'étouffer dans son giron. Je te débarrasserai de ton enfance avant mon départ. C'est promis. Tu deviendras alors si seule que je te manquerai à jamais.

Lydie

Elles sont assises toutes les deux sur une pile de madriers, derrière la maison des Ouellet.

— Je joue à être infernale dans mes lettres comme les poètes que j'aime. Ça m'amuse. Ça me désennuie. Je trouve ça le fun. Fais pas attention, ma belle. Quand j'écris des lettres ça me soûle, ça me monte à la tête. Je ne sais plus où j'en suis.

Lydie rit. Hélène, sa petite figure levée vers Lydie, est pleine de désarroi et de crainte.

— Comme tu trembles et comme tu as l'air bête avec tes yeux délavés, grands comme des soucoupes.

Ce qu'Hélène appréhende plus que tout au monde, c'est que Lydie, comme elle l'a fait l'autre jour, déplace un des gros madriers posés par terre et découvre des monstres cachés dessous, tout grouillants sur l'herbe écrasée et jaunie; des vers de terre, un crapaud, une mince couleuvre grise...

— Mais tu as peur de ton ombre, ma petite Hélène! Il faut te dompter. Viens que je te coiffe.

Les cheveux d'Hélène couvrent ses épaules, son dos, descendent jusqu'à ses reins. Lydie manie le peigne et la brosse, fait mousser les cheveux d'Hélène dans la lumière.

— Quels cheveux tu as! C'est dommage de les tresser serré comme des cordes!

Hélène se précipite sur Lydie, lui arrache des mains le peigne et la brosse.

— C'est mon tour maintenant. C'est moi qui te coiffe. Comme tu es noire, Lydie, et comme tes cheveux sont froids.

— Tourterelle, douce tourterelle, dit Lydie.

75

— Corneille, belle corneille, dit Hélène.

Elles gloussent à qui mieux mieux comme des petites filles. Les voici bientôt, toutes les deux, coiffées d'identique façon, les cheveux attachés sur la nuque avec un ruban de velours noir.

C'est Hélène qui enfourche la bicyclette tandis que Lydie court derrière elle pour l'encourager.

— Plus vite, ma petite Hélène, plus vite. Attention, tu vas tout de travers.

Dans la pénombre de la petite chambre mansardée, aux murs de sapin bruni, Pauline a retrouvé son fils malade, livré entre ses mains. Elle le fait boire en lui soulevant la tête, le tourne et le retourne dans son lit, change ses draps et ses oreillers, pose sa main fraîche de longs moments sur son front, demeure à l'écoute des paroles incohérentes de son délire, se désespère de ce discours confus, recueille chacune des paroles extravagantes qui crèvent comme des bulles à la surface d'un étang obscur et profond. Un seul mot distinct se détache de ce magma, reconnaissable et détesté entre tous, le nom de Lydie, prononcé à plusieurs reprises. De quel mal étrange souffre Julien et que vient faire cette fille au plus secret de son tourment ?

Le médecin mandé de Québec parle de point de côté qui persiste, de fièvre qui dure. Il prescrit le calme et le repos.

Comme tous les matins, depuis sa maladie, elle le baigne de la tête aux pieds avec une éponge trempée dans l'eau savonneuse.

Voici que sa fièvre l'a quitté. Il n'est déjà plus cet enfant inerte et brûlant qui se laisse border et retourner dans son lit. Il ouvre les yeux tout grands, s'étonne de se trouver si maigre et si nu, étendu de tout son long sur le petit lit de fer, tandis que Pauline se penche au-dessus de lui avec son éponge et sa mousse de savon. D'un geste brusque il rabat le drap sur sa nudité.

— Laisse, ma pauvre maman, je m'arrangerai bien tout seul à présent. Je n'ai pas besoin de toi, je t'assure. Tu devrais aller te reposer.

Ayant reçu son congé elle est allée fumer dans le corridor, debout, appuyée contre le mur. Sa première cigarette depuis dix jours. Elle a à peine le temps de tirer avidement quelques bonnes, grosses bouffées de tabac, de regarder monter au plafond les volutes bleues, que déjà il lui faut s'occuper de sa fille Hélène.

Elle est là, debout devant elle, inexplicablement triomphante dans sa robe sale et déchirée, les genoux ensanglantés, une grosse bosse sur le front.

— C'est en revenant du lac que je suis tombée sur les cailloux. La bicyclette de Lydie est toute tordue mais Lydie dit que ça ne fait rien. L'important, c'est que j'aie pu pédaler toute seule jusqu'au lac. Lydie dit que c'est très bien.

Cette enfant est déjà au-delà du mensonge. Elle n'a pas cru bon d'inventer une histoire pour expliquer ses plaies et ses bosses. Sans vergogne, pleine de fierté perverse, elle s'affiche et me nargue.

Pauline panse sa fille en silence, ravale son infortune, serre les dents, se promet de rentrer à Québec, le plus rapidement possible, afin d'échapper à la voleuse d'enfant qui ravage les bords de la rivière Duchesnay.

Il y a des odeurs presque aussi fortes qu'au printemps mais poignantes comme la terre qu'on retourne. Une apparence d'été flotte parfois dans l'air puis se décompose dès la fin du jour avec les feuilles fraîchement tombées.

L'épidémie de polio s'apaise avec le froid qui vient. Pauline fait ses bagages. Elle jette pêle-mêle dans ses malles et ses cartons des brassées de vêtements et d'objets hétéroclites, sans rien voir, semble-t-il, tant sa hâte de partir est grande.

Ce n'est que peu à peu qu'une espèce de paix étrange lui est venue, à mesure qu'une idée étonnante mûrissait en elle et la laissait désarmée et sans force. Finir en beauté. Inviter Lydie à la maison. La démasquer. Découvrir son vrai visage. Cesser de lutter contre un fantôme. La confondre. L'avoir à sa merci. La regarder bien en face comme une personne réelle qu'on peut toucher, voir et entendre. Lui faire baisser les yeux. Lui signifier que c'est la première et la dernière fois qu'elle met le pied dans cette maison. Après, ce sera trop tard. Julien et Hélène seront loin, sauvés, hors de la portée de Lydie.

Bientôt, le désir de connaître Lydie devint si pressant pour Pauline que cela ressemblait à s'y méprendre à la fascination de Julien et d'Hélène, la première fois qu'ils avaient aperçu Lydie, montée sur le cheval de Zoël Ouellet.

Elle a déroulé sa grande écharpe rouge, retiré son manteau, et elle a été parmi eux avec sa robe d'été blanche, sans manches, ses souliers de tennis, ses longues jambes nues, sa petite mouche insolente sur la pommette droite, son air moqueur et sa fierté de vivre qui illumine chacun de ses gestes, et jusqu'à son immobilité et son silence.

— Bonjour, comme c'est gentil de m'avoir invitée.

Sa voix est basse et profonde.

Elle remet son écharpe, l'enroule deux fois autour de son cou. Elle s'assoit et se tient tranquille, familière et douce, mêlée à eux comme une invitée ordinaire, une parente, une cousine, une sœur, existant soudain très fort au milieu de leur vie quotidienne, dans la salle basse, aux poutres brunies.

Hélène regrette déjà d'avoir à partager la présence de Lydie avec son frère et sa mère. Elle fixe obstinément la pointe de ses souliers. Semble consternée et embarrassée.

Julien se fait un rempart de sa convalescence. S'enferme dans un état de langueur où tous les égards lui sont dus. Attend qu'on vienne le chercher dans sa solitude et qu'on le console. Écoute les battements de son cœur à son poignet. S'afflige d'être aussi grand et aussi maigre, à peine sorti de sa fièvre et relâché dans le monde, fragile et écorché, cassant comme de la vitre. Il regarde Lydie à la dérobée, s'attriste de son beau visage offert à tous, tout bas lui fait d'amers reproches.

Tout se passe maintenant entre Pauline et Lydie. Théière et grosses tasses de faïence louées pour l'été avec la maison, galette fraîche et confiture de fraises. Lydie penchée sur sa tartine. Pauline lui faisant face.
— Je n'ai jamais mangé de confitures aussi délicieuses.
Elles jouent à prendre le thé. Cachent leurs mauvais desseins sous des fronts également têtus. Regards rapides échangés, impressions vives retenues. Toutes deux profondément occupées à éviter de régler leurs comptes.
— Vos parents vont bien ?
— Très bien, merci. Ils viennent me chercher dans quelques jours.
— Nous partons jeudi. Le camion est déjà retenu.
— Quel bel automne, je m'en souviendrai longtemps.
— Je préférerais l'oublier comme une feuille morte qui pourrit dans la terre.
— Comme vous voudrez. Moi, je suis bien contente de partir pour mon collège américain, à Staten Island...
Elles sont soudain très proches l'une de l'autre, penchées l'une vers l'autre, au-dessus de la table, leurs visages se touchant presque, comme deux lutteurs prêts à s'empoigner.
Pauline tente de faire face, sa taille imposante tassée sur sa chaise, toute sa personne réduite à un petit filet de voix sauvage :
— Le plus tôt vous partirez, le mieux ce sera.
Lydie enlève l'écharpe de son cou, s'en couvre les épaules comme si elle avait froid. Ses gestes sont exagérément

lents et précis, sa voix, précautionneuse et polie à l'excès.
— Mes parents à moi sont très larges d'esprit. Ils ne
m'ont jamais interdit de fréquenter personne, même pas
les petits Vallières...

Pauline se tient immobile, se contente de distiller sa
fureur en silence, par tous les pores de sa peau, dans des
nuages de fumée de cigarette, comme une seiche dans son
encre.

Lydie bondit de sa chaise, se frappe le front.
— Mais c'est la journée des adieux! Ne gâchons pas le
temps qui nous reste par trop de mauvaise humeur. Mon
petit Julien, comme tu as l'air farouche. Change de figure,
pour l'amour de moi, change de figure! Et toi, Hélène,
tu ressembles à une petite fille en visite. Viens t'asseoir
près de moi. Si on faisait un peu de musique pour se changer les idées?

Leur attention à tous est si vive, tendue à l'extrême,
qu'ils peuvent entendre, d'une façon décuplée, l'aiguille
sillonner à vide le disque, dans le silence. Pauline a tout
le temps de craindre la musique, avant même qu'elle ne
commence.

La longue salle basse aux planches patinées par le temps
sert de caisse de résonance. Bois et cordes se répercutent
sur les poutres brunies tandis que la voix du piano
s'écoule limpide comme une source entre les doigts.

C'est un concerto de Mozart émergeant soudain dans
la campagne sauvage du Nouveau Monde pour la plus
grande joie de trois enfants graves et silencieux.

Une fois de plus Pauline ne veut rien entendre, ayant
peur de la musique, la redoutant depuis son enfance. Mais
Lydie est devant elle, qui écoute si attentivement qu'on
peut voir passer, sur son visage mobile, la musique en
ondes jubilantes. Pauline détourne la tête. Cette fille est
indécente, pense-t-elle.

Voici que Lydie saute sur ses pieds, s'approche d'Hélène, la tire par les deux mains comme si elle voulait l'inviter à danser, la force à se lever.

— Hélène, mon ange, écoute bien toutes ces petites notes de piano qui te ressemblent. C'est toi en chair et en os. Je ne pourrai plus jamais écouter ce rondeau sans penser à toi.

Face à sa mère et à son frère qui la dévisagent, Hélène se retient de danser. Elle se contente de rougir de plaisir, tandis que sa petite figure se plisse de rire retenu.

C'est en écoutant Schubert que s'est produite cette solitude pour chacun, cet isolement, dans un poignant secret. Voici l'*andante* déchirant. Trop attentif à son propre tourment, Julien ne voit pas un voile d'ombre surgir sur les traits de Lydie. Bientôt elle se retourne vers lui, grave et rêveuse, s'étonne de le trouver si lointain, prisonnier de lui-même, l'appelle doucement, tout bas, pour lui seul, le nomme *le Ténébreux, le Veuf, l'Inconsolé*.

Elle est debout au milieu de la pièce. Ses yeux de cendre froide, les épis vigoureux de ses cheveux dressés sur sa tête, toute sa grandeur et son ampleur offusquées. Pauline se sent privée de ses enfants, les regarde évoluer comme derrière une vitre, alors que la musique les enferme dans un cercle enchanté, là où règne l'étrangère qu'elle a elle-même invitée, à ses risques et périls.

Sur la galerie, au moment du départ, Hélène retient Lydie par son écharpe, se pend à son cou, lui chuchote quelque chose à l'oreille, Julien s'approche à son tour, parle tout bas, d'une voix oppressée :

— Je vais vous écrire, ici on ne peut rien se dire.

Pauline, dans l'encadrement de la porte, contemple la scène en silence, se tourmente de ce que ces deux enfants qui sont toute sa vie soient soudain pris en flagrant délit de trahison.

Étrangement à l'aise parce qu'il est seul et non plus en face d'elle qui le fait balbutier ou se taire, il lui écrit une longue lettre comme on s'ouvre les veines. Il la tutoie pour la première fois.

Ceci est ma première et sans doute ma dernière lettre, mon unique lettre en somme, comme un homme qui n'a qu'une parole en bouche et la lance tout d'un coup, en pleine figure de qui veut bien l'écouter, une parole complète qui contient tout et ne ménage rien, ni personne. Je t'ai dit l'autre jour à la forge que j'avais la passion de toi, et c'était mieux que toutes les lettres du monde, plus ramassé, plus près du cri, plus surprenant, une vérité sans doute pas bonne à dire comme toutes les vérités qu'on doit retenir parce qu'on est bien élevé et sur ses gardes, dans la crainte de se trahir. Je me suis trahi l'autre jour à la forge et je suis prêt à me trahir de nouveau dans cette lettre afin que tu me répondes aussi direct, aussi vrai que moi, toi en face de moi, obligée de me répondre et de dire clairement qu'il n'y a pas que les chevaux et les habitants du village qui comptent pour toi. Il y a moi, plus vrai que les chevaux, les arbres et la rivière, plus vivant que tous les habitants réunis à la forge ou au magasin général, plus réel que la campagne tout entière déroulée à tes pieds, comme un tapis, moi, Julien Vallières, âgé de toute ma vie, promu à mon état d'homme fait, grâce à toi, Lydie Bruneau, dès la première fois que je t'ai vue, montée sur le cheval pommelé de Zoël Ouellet, moi existant si fort à tes côtés que le cœur me cogne entre les côtes comme une bête captive, moi plus criant de vie qu'Alexis Boilard qui te regarde avec des yeux pourris. Vois-moi, reconnais-moi comme je te vois et te reconnais. J'ai besoin de ta réponse à ma parole de la forge, l'autre jour, et à ma lettre d'aujourd'hui qui est la même chose, le même aveu, en plus long, en plus urgent, parce que le temps passe et que nous allons bientôt être séparés, toi dans ton collège américain, moi à Québec, entre ma mère et ma sœur. Surtout ne va pas croire que j'ignore que les apparences sont contre moi, cet air de petit garçon qui te fait rire. Élevé sous la mère, comme on dit d'un veau de lait, j'ai peut-être l'air d'un enfant monté en graine, mais pourtant je t'aime comme un homme aime une femme. Toi qui es pleine d'expérience, ne va pas considérer cela comme rien, un garçon qui aime pour la première fois, sans rien en lui qui se refuse. Mon ignorance n'a d'égal que mon amour. Attention aux pièges de Pauline, ma mère. Ces petites réunions mondaines où je meurs de solitude, musique, galette et confitures, sous son œil vigilant, n'existent que pour mieux nous surveiller et nous empêcher de nous voir en dehors d'elle. La poésie et la musique illuminent ma vie, l'agrandissent sans fin, me rapprochent de toi à la vitesse de la lumière, me permettent de me retrouver avec toi dans le même éblouissement. Dis-moi bien vite où je puis te voir seule, avant notre départ, de jour ou de nuit je ferai tout pour te joindre où que tu sois.

Julien

Une gelée blanche recouvre les champs, l'herbe au bord des fossés, les arbres et les buissons. Pour avancer sur la route, au petit matin, il faut franchir des bancs de brume qui s'effilochent à mesure que monte le soleil dans le ciel. Chez les Ouellet on ne chauffe le poêle à bois de la cuisine qu'au moment des repas. Lydie a décidé de ne plus bouger de son lit et d'attendre que ses parents, de retour de New York, viennent la chercher. Par deux fois déjà Alexis Boilard est venu chez les Ouellet, dans un tintamarre de vieux camion. Il a demandé Lydie et on lui a répondu qu'elle ne voulait voir personne.

Elle frissonne au fond de son lit, sous les couvertures de laine. Elle lit la lettre de Julien. Cet enfant est fou, pense-t-elle. Son exigence me tue. Il réclame tout de moi. *Il aura mon âme au bec*, si je le laisse faire. Il faut que je me défende. Sa lettre me désespère. Mais si je pleure, c'est de rage.

Elle s'essuie les yeux. Froisse la lettre de Julien entre ses doigts, referme son poing comme quelqu'un qui étouffe un oiseau, tandis que le camion d'Alexis se met à tourner autour de la maison, dans un vrombissement d'enfer.

L'ordre lui est donné, dans l'obscurité de son cœur, de se venger, sur-le-champ, d'un affront subi dans la nuit des temps, aux sources mêmes de sa vie. Elle écrit :

Tu lis trop, mon petit Julien. Tu écris trop aussi, de trop longues lettres romantiques. J'aime les poètes dans les livres, pas dans la vie. Dans la vie je préfère les gars comme Alexis qui n'y vont pas par quatre chemins et n'attendent rien de moi que ce que je peux donner, c'est-à-dire bien peu, étant avare de mes dons de nature et craignant l'amour comme la mort de moi et de ma liberté.

Lydie

Elle entend les virages brusques du camion fou autour de la maison. Elle se bouche les oreilles avec son oreiller. Elle éprouve très fort l'envie de se rouler dans la boue et de faire des choses grossières avec Alexis, de se jeter dans la honte à corps perdu.

Lydie se plante en plein milieu de l'allée, agite les bras au-dessus de sa tête. Alexis arrête son camion. Sa tête en colère apparaît hors de la cabine.
— Tu embarques, oui ou non ?
Elle dit, d'une voix faible d'enfant malade :
— Oui, oui, je viens, c'est pas la peine de faire tant de tapage !

Elle jure tout bas d'imposer sa loi à Alexis et de le mener dans le plaisir, selon des limites choisies par elle.

Les amis de son père sentaient l'after-shave et le scotch. Alexis empeste la bière et la sueur. Mais c'est bien le même visage ravagé comme par une maladie. Elle regarde le profil du garçon, penché sur son volant, son air buté. Étant habituée à ce qu'on lui fasse toutes sortes de caresses sans conséquences, à la sauvette, dans des voitures et autres lieux incommodes, elle refuse de s'inquiéter pour un long moment encore.

Le camion cahote sur une mauvaise route de traverse que Lydie ne connaît pas. Alexis ne relève toujours pas la tête. La conduite de son camion semble exiger de lui une attention forcenée. Lorsque la route se met à ressembler à un sentier perdu, entre les épinettes et les bouleaux chenus, Alexis arrête son moteur. Il se retourne humblement vers Lydie comme un animal familier qui mendie une caresse. Il répète « Lydie » à plusieurs reprises. Il laisse retomber sa tête sur les genoux de Lydie. Elle sent la chaleur mouillée de sa bouche, ses dents de chiot, à travers sa jupe.

Il mordille sa jupe et son linge. Il écarte ses cuisses avec sa tête. Il enfouit sa tête sous sa robe. Bientôt ce sera fini, pense-t-elle, indemne une fois de plus, je rabattrai ma jupe et je n'aurai plus qu'à rentrer chez les Ouellet, souper en famille, comme d'habitude. Elle tente de se redresser :

— C'est moi qui décide, Alexis Boilard, lâche-moi.

Il la prend à bras-le-corps et la sort du camion. Elle se débat et tombe à terre, dans l'herbe, de tout son long. Un instant étourdie elle voit le ciel au-dessus d'elle, blanc et crayeux. L'éclat métallique l'aveugle d'un trait bref, avant que le corps lourd d'Alexis se couchant sur elle ne lui masque toute lumière.

Il la supplie et il l'injurie. Il l'appelle « Ma petite salope » et « Cher beau Pitou ». Elle l'insulte et le nargue. Elle l'appelle « Brute épaisse ». Et voici qu'une petite voix inconnue émerge d'elle, qui réclame tout son plaisir et donne des indications précises.

Il a enfilé sa veste bleu marine avec l'écusson de son collège, il a mis sa tête sous la pompe, passé et repassé le peigne dans sa chevelure ruisselante, et il est sorti de la maison. A sa mère qui lui demande où il va, à une heure aussi tardive, il crie d'une voix rauque :
— Laisse-moi vivre !

Un grand ciel de plaine au soleil couchant, la terre plate avec un horizon de collines trapues. Voici l'allée de peupliers avec ses feuilles encore vertes toutes recroquevillées dans le vent. Il avance dans un bruit de feuilles qui tremblent et Julien tremble avec les feuilles.

De la fenêtre de sa chambre elle l'a vu venir. Elle se dit que rien ne sera plus jamais pareil entre eux, qu'elle est une femme maintenant et qu'elle n'a que faire de cet enfant chargé de songes qui s'avance vers elle dans l'allée.

Le visage de Lydie est tout froissé d'inquiétude et de terreur. Elle croit sentir bouger dans son ventre meurtri des petites mains couleur de brique, des ongles noirs minuscules, toute une bestiole blanche comme du saindoux qui prend racine et ressemble étrangement à Alexis.

Avant même que Julien n'ait frappé à la porte elle est là sur le seuil de la maison, de mauvaise humeur et grinçante.

— Tu veux me voir, mon petit Julien ? Tu peux m'appeler « madame » à présent, tu sais, je le mérite depuis hier, et, toi, tu n'es qu'un petit niaiseux d'eau douce !

Il se passe ceci d'étrange que Julien n'entend pas ce que lui dit Lydie. Il répète d'une voix mécanique qui ne semble pas lui appartenir :

— Il faut que je sache. Je veux savoir. Alexis Boilard et toi, en camion, est-ce que c'est vrai ? Tout le village en parle.

Un silence glacé, plein de menace, la cloue sur place, un long moment.

— Tu veux vraiment savoir, mon petit Julien ? Tant pis pour toi. Mais il faut d'abord qu'on trouve un endroit tranquille pour que je te dise tout, pour que tu entendes tout, puisque tu y tiens tellement.

Elle n'a rien trouvé de mieux que de l'emmener du côté des cages à renards, désaffectées depuis longtemps.

93

Ils marchent l'un derrière l'autre dans le sentier étroit, Julien suivant Lydie, pareil à ces oiseaux perdus dans le sillage d'un bateau dont dépendent leur subsistance et leur vie. Il attend tout d'elle, la révélation qui le déchire à l'avance, le couteau et la blessure.

De chaque côté du sentier on entend le dernier chant des grillons, avant l'hiver, tout crépitant dans l'air froid. Lydie devient volubile, se met à expliquer que les élevages de renards sont toujours éloignés des maisons à cause de l'odeur et des glapissements lugubres à entendre, surtout la nuit. Elle se retourne vers Julien.

— Et puis, tu sais bien, si on les dérange les mères renardes mangent leurs petits, pour les protéger.

Elle rit d'un grand rire fêlé qui se brise.

De nouveau la voix de Julien, toujours aussi étrange, comme détachée de son corps, sèche, mécanique :

— Tu l'as déjà dit. Tu te répètes. Tu parles pour ne rien dire, ma pauvre Lydie.

Voici les cages à moitié écroulées, le hangar de bois où l'on tuait les renards. Julien se demande comment on pouvait s'y prendre pour égorger les renards sans abîmer leur fourrure. Comment prendre la vie aux bêtes rousses ou argentées sans que rien ne paraisse de leur supplice sur les jolies pelleteries promises aux jolies dames ?

Lydie fait le tour de la cabane, cherche en vain une fenêtre, avise une petite porte de planches avec un cadenas rouillé, tente de l'ouvrir, à grands coups d'épaule.

La porte cède tandis que Julien supplie :

— Allons-nous-en, Lydie. C'est trop sinistre ici.

— On dirait que tu as peur, mon petit Julien... peur de moi ou des renards échappés du massacre ?

Le jour baisse peu à peu. La cabane grise, les grillages rouillés semblent s'effriter un peu plus dans le crépuscule d'automne. Aucune pitié dans le ciel livide qui s'éteint.

Elle le précède dans la cabane, vive et légère, se cogne aux meubles et aux objets entassés dans l'ombre.

— Quel débarras! On dirait un encan de quêteux!

Allumette après allumette, ils distinguent un vieux sofa de crin à moitié éventré, une table boiteuse, quantité d'ustensiles de ménage cassés et rouillés, un râteau sans manche, une fourche édentée. Par terre, ici et là, de la paille en poussière, des petites crottes de mulot un peu partout. Sur la table un fanal au verre noirci. La chandelle à l'intérieur est presque intacte. Lydie l'allume aussitôt.

Le silence les prend à la gorge, les impressionne comme si quelqu'un d'infiniment redoutable qui serait le génie vermoulu des lieux se tenait caché dans la grande armoire sans pieds ou derrière le petit fauteuil de paille à moitié rongé.

Leurs ombres bougent sur le mur et les meubles entassés. Ils doivent s'approcher tout près du fanal, posé sur la table, afin de demeurer bien visibles l'un à l'autre, l'un en face de l'autre, tout englués de nuit, avec la bougie qui tremblote entre eux.

Julien s'étonne de trouver Lydie intacte devant lui. Lisse et dure comme d'habitude. Nulle trace de son ignominie avec Alexis. Il s'obstine. En vain il cherche des signes sur son visage. Il écarquille les yeux. Il est comme un aveugle, toute la vie devant soi à saisir, et qui ne voit rien.

La première, Lydie détourne la tête :

— Ne me regarde pas comme ça, on dirait que tu veux me fusiller avec tes yeux.

Ni fusil ni couteau. Je suis sans arme, pense Julien, et il presse ses longues mains nues l'une contre l'autre, comme s'il éprouvait la finesse de ses os.

Elle va s'asseoir au fond de la cabane sur le petit sofa de crin, dans la zone d'ombre, comme si elle désirait s'y enfouir.

Sa voix semble sortir des ténèbres de la nuit.

— Tu as déjà vu le lever du soleil, mon petit Julien ? Si on restait ici dedans, bien tranquilles tous les deux, jusqu'aux aurores ? Tu verras comme c'est triste et beau, la nuit qui cède peu à peu et s'emplit de lumière.

Elle a l'air de s'attendrir sur le sort de la nuit qui meurt au petit matin.

— Viens plus près. Ne me regarde plus avec tes yeux de pistolet braqués sur moi. Viens.

Il s'abat à ses pieds avec une sorte de grondement sourd, comme une bête blessée. Il enserre ses jambes avec des mains qui tremblent. Il lève vers elle des yeux éperdus.

Elle a un mouvement de recul. Mon Dieu, qu'est-ce donc que ce garçon à ses pieds qui exige tout d'elle, jusqu'à cette part secrète d'elle-même qu'elle refuse obstinément, son innocence d'enfant.

— Mon petit Julien, laisse-moi, tu me fais peur.

Elle cache sa tête dans un coussin crevé qui sent le moisi. Elle rit parce qu'elle a la bouche pleine de crin. Elle s'étouffe et crache.

— Comme tu es drôle, mon petit Julien, avec tes cheveux à moitié plaqués et tout hérissés sur ta tête. On dirait un martin-pêcheur au sortir de l'eau ! Tu frises, mon petit Julien, que c'est pas croyable.

Elle passe et repasse ses mains dans la chevelure de Julien.

— Tu viens trop tard, mon petit Julien, hier encore, comme je t'aurais aimé, et tu aurais été le premier et le dernier peut-être. Mais aujourd'hui c'est trop tard. Mon jour de bonté est déjà passé. J'aurais trop peur d'être enceinte deux fois en même temps. Tu vois ça d'ici : des jumeaux bien tassés dans mon ventre, un tout rouge et puant, l'autre frisé comme un mouton !

Elle cache son visage dans le coussin, s'étouffe de rire de nouveau.

Il s'est levé et il parle tout contre la porte, la main sur le panneau, prêt à sortir :

— Tu es méchante, Lydie, et je voudrais ne t'avoir jamais connue.

— Je ne suis ni méchante ni bonne, mon petit Julien, possédée, tout simplement, c'est pas pareil. Ne t'en va pas tout de suite, je t'en prie.

Il revient sur ses pas. De nouveau il s'agenouille près d'elle. Il parle la tête sur les genoux de Lydie, dans un murmure étouffé :

— Je t'aime tant.

— De quoi te plains-tu, mon petit Julien ? Tu voulais devenir un homme, c'est chose faite. Tu l'as, ton chagrin d'amour. C'est toujours ça de pris.

Julien n'entend pas ce que dit Lydie, tout occupé qu'il est à goûter la bonne chaleur des genoux de Lydie, sur sa joue, sur son front.

— Tu es beau, mon petit Julien, très beau. Je crois que demain je vais t'aimer comme une folle et j'en pleurerai toutes les larmes de mon corps. Mais pour le moment j'ai autre chose à faire. C'est le lendemain de mes noces et il faut que je vaque à mes affaires ordinaires. Mes parents viennent me chercher dans deux jours. Je suis inscrite au collège de Staten Island, dans l'État de New York, tout près de l'océan, là où les pêcheurs sont portugais. J'y resterai toute l'année scolaire. Mais avant mon départ il faut que je m'occupe de ta petite sœur Hélène. J'ai rendez-vous avec elle demain.

Elle parle pour elle-même, choisissant ses mots, semble ignorer la chaleur de Julien contre ses jambes, le poids de sa tête sur ses genoux.

Depuis un moment déjà un petit mulot sur le dessus de la grande armoire sans pieds examine Lydie avec ses yeux brillants. Comme il me regarde et comme je le regarde. Elle est fascinée. Il lui semble que l'image du mulot sur l'armoire se grave en elle avec une précision étrange, tout comme si plus tard, dans la suite des temps, tout autre souvenir de sa nuit avec Julien devait lui être ôté.

Ils ont attendu le lever du soleil, Julien blotti contre les jambes de Lydie, Lydie fourrageant dans les cheveux de Julien. Entre eux, quantité de choses enfantines et puériles. Ils récitent des poèmes à mi-voix. Il parle de son *état primitif de fils du Soleil*. Elle dit que c'est pareil pour elle, bien qu'elle soit une fille. Julien jure que c'est à la vie, à la mort. Lydie lui tire les cheveux à pleines poignées, assure qu'elle est vieille comme la terre et la mer ensemble et que ça ne sert à rien de penser au lendemain.

— Entre nous deux, mon petit Julien, c'est l'ordre à l'envers, l'ordre à l'endroit voulant que l'homme soit l'aîné et la femme ingénue comme une marguerite blanche avec un ventre jaune, au milieu d'un champ.

De nouveau son rire en cascade.

Tout alentour de la cabane les oiseaux ont commencé de jacasser en sourdine avant même qu'une vague lueur se montre dans le ciel. Lorsqu'il l'embrasse comme un garçon embrasse pour la première fois elle lui dit de recommencer et de faire bien attention. A la seconde fois, elle fait semblant de dormir. Elle est comme une morte qui va tomber par terre.

Le jour surgit lentement, de partout à la fois, envahissant le ciel de seconde en seconde, pareil à une nappe souterraine qui se répand loin de son cœur saignant, caché derrière les arbres.

C'est elle qui l'embrasse, qui met sa langue dans sa bouche, qui le mord sauvagement. La voici debout arrangeant ses cheveux défaits, défroissant sa robe.

— Vite, mon petit Julien, c'est le matin. Il faut rentrer, ou tu seras disputé. Inutile de te plaindre. Tu l'as eue, ta nuit de noces. Salut bien. Moi je pars. Les vacances, c'est fini.

Il est debout devant elle, tout étourdi, désemparé, pareil à un voyageur perdu dans une gare étrangère qui ne sait où diriger ses pas.

Il parle tout bas, d'une voix sans inflexion, comme si les mots sortant de sa bouche ne le concernaient pas :

— Salut, Lydie Bruneau. Je pars aussi. Je pars tout de suite. C'est le matin. Il faut rentrer. Je ne te verrai plus. Tu es le diable, Lydie Bruneau.

Tandis que Julien s'éloigne sur le sentier qui s'éclaire, à mesure que le soleil monte dans le ciel, il ne sait pas que Lydie, derrière lui, dans la cabane, le nez dans le coussin crevé, pour assourdir sa plainte, répète son nom. « Julien, Julien, Julien... »

Ni cris, ni injures, ni reproches. Elle est sans épines ni piquants. Épuisée. Dépossédée. Virée de sa vie. Elle se tient devant son fils et lui demande d'où il vient.

— Lydie et moi on a voulu voir le soleil se lever...

Elle a attendu son retour toute la nuit, tout contre la fenêtre de la salle, collée à la vitre froide.

Pauline se tait. Elle n'a pas de mots à sa disposition pour exprimer sa désolation et sa fatigue. D'étranges phrases s'assemblent dans sa tête qui ne verront jamais le jour : Je t'ai aimé la première, je suis la première femme de ta vie, comme Ève sous son arbre du bien et du mal, en plein paradis perdu, souviens-toi, c'était l'enfance.

Il met sa main devant sa bouche pour cacher sa lèvre meurtrie par la morsure de Lydie. On pourrait croire qu'il a mal aux dents.

Déjà Hélène lui obéit au doigt et à l'œil. Je la siffle et elle vient, pense Lydie, avalant tasse de café sur tasse de café, dans la grande cuisine des Ouellet. Surtout, ne pas céder à l'envie de dormir. Oublier sa nuit sans sommeil dans la cabane aux renards. Oublier Julien. Se laver de sa nuit avec Julien. Se retourner du côté d'Hélène. Lui faire passer la dernière épreuve. Après le frère, la sœur. A chacun son tour. Ne s'est-elle pas juré de les affranchir tous les deux ? Demain il sera trop tard. Aujourd'hui même.

Elle allume une cigarette. Elle envoie la fumée au plafond. Elle aime le mélange de café et de nicotine. Les yeux mi-clos, elle se repose. Mme Ouellet s'affaire autour de la table. Elle a vu le lit de Lydie non défait et elle regarde la jeune fille à la dérobée, d'un œil soupçonneux.

Le nez dans sa tasse de café Lydie a saisi au vol le regard de Mme Ouellet. Les yeux verts de Lydie parfaitement vides au-dessus de sa tasse. Mme Ouellet retourne à son fourneau. Lydie la rappelle aussitôt, la salue jusqu'à terre.

— Salut, madame Ouellet. Considérez-vous comme saluée par moi, madame Ouellet. C'est le matin. J'ai une grosse journée devant moi. Je vous en donnerai des nouvelles ce soir. Pensez à moi d'ici là. Faites une croix sur votre cœur en pensant à moi, madame Ouellet. Dites-vous bien que personne ne peut avironner comme moi sur la rivière. Une vieille habitude depuis l'enfance. C'est décidé. J'y vas. J'emmène la petite Hélène Vallières avec moi.

Lydie a demandé la clef de la cabane à bateaux. Elle n'a pas dit qu'elle voulait sauter les rapides. Se rassure tout bas. Ce n'est que le cœur sauvage de la rivière à traverser.

Bientôt Hélène est là dans son ciré jaune, ses cheveux noués sur la nuque, à la mode de Lydie.

— J'ai peur, Lydie, j'ai si peur.

— Il faut que tu traverses ta peur, comme un cerceau de feu, comme au cirque, tu sais bien. Après tu te sentiras forte et grande, l'égale de ta mère, et tu pourras la regarder dans les yeux et lui dire de se mêler de ses affaires. Personne n'osera plus se mesurer à toi, tu seras à jamais une grande personne, libre comme moi, Lydie Bruneau. Et puis c'est pas compliqué. Tu n'auras qu'à rester assise sans bouger, au fond du canot, pendant que j'avironnerai. Sauter les rapides, ma belle, il n'y a que ça au monde. Tenter Dieu et le diable à la fois. Quel programme ! Tu t'en souviendras toute ta vie. Tu as mis ton gros chandail sous ton ciré ? C'est ce qu'il faut. Viens que je t'arrange un peu mieux.

Elle tire le col roulé d'Hélène, le rabat sur son imperméable, effleure la joue d'Hélène avec ses doigts.

— Comme tu es douce, Hélène, et comme tu es belle.

Hélène fond comme une bougie de Noël sous la caresse de Lydie.

— C'est toi, Lydie, qui es belle, et je voudrais mourir pour toi.

Lydie n'a plus qu'à sourire à la petite Hélène pour être sûre d'elle, au-delà de la vie et de la mort, jusqu'au mal fait à Pauline.

103

— C'est ta mère qui va être morte d'inquiétude !

Hélène baisse la tête. Lydie, pour la seconde fois, passe ses doigts doucement sur la joue d'Hélène.

Le canot de toile des Ouellet est fraîchement repeint et calfaté. Pendant un long moment on peut voir de la côte le rouge du canot, le jaune du ciré d'Hélène et le bleu de la veste de Lydie, le rouge de son écharpe, toutes couleurs vives glissant au fil de l'eau, sur la rivière, en plein midi.

Lorsque la rivière a été à l'égalité de la rive et qu'il a fallu traverser le village tout plat, plusieurs personnes ont reconnu le canot rouge et ses passagères.

Immobile, au fond du canot, Hélène éprouve dans tout son corps le choc des vagues qui cognent de plus en plus fort contre le canot à mesure qu'on approche des rapides. Elle n'est plus qu'abandon aux forces de l'eau qui l'épouvantent. Elle n'est plus qu'obéissance à la maîtresse du canot qui avironne à droite ou à gauche, rétablissant l'équilibre de minute en minute. Déjà l'écume, en longs crachats blancs, file dans le courant de plus en plus agité, tandis que le fracas devient étourdissant. Des rochers couverts de mousse verte se dressent de-ci de-là devant elles. Bientôt l'odeur fade de l'eau, sa fureur souveraine remplacent tout air respirable, toute vie terrestre. Le canot rouge danse et craque au gré des flots. Lydie et Hélène entrent toutes deux dans l'intimité de la mort.

Elle a été un long moment comme une noyée, dégoulinante et bourbeuse, étendue de tout son long, sur le quai du forgeron. Le courant l'a rejetée sur les cailloux de la grève et ils l'ont ramassée, ne sachant pas si elle était morte ou vivante, ne sachant qu'en faire puisqu'elle n'avait ni parents ni personne pour s'occuper d'elle. Elle a craché l'eau par la bouche et par le nez. Tout le village amassé sur le quai et tout alentour, jusque sur la route, l'a regardée suffoquer et vomir. Ses oreilles sont pleines de tumulte, son visage est taché de vase et d'herbes. Elle regarde sans les voir tous ces gens assemblés autour d'elle.

C'est Alexis qui l'a enveloppée dans une couverture et qui l'a ramenée chez lui dans son camion.

Une minuscule cabane de rondins, au milieu d'un champ sans arbres. Un garage immense à la toiture de tôle qui brille de tous ses feux dans le soleil froid. Le domaine d'Alexis Boilard est sans clôture, bordé par une haie de broussailles.

Elle a la fièvre. Sa tête est pleine de bruit et de fureur. Le ressac de l'eau sur les rochers cogne sans cesse à ses tempes. Il lui semble qu'on l'applaudit à tout rompre dans le tapage de l'eau, tandis qu'une voix indifférente et mondaine compte les secondes, afin de calculer combien de temps elle pourra tenir en apnée, au fond de la rivière, sans mourir. Elle appelle Hélène. Elle tente de l'arracher aux mousses vertes, gluantes, qui la recouvrent peu à peu comme une seconde peau. Le roi de la vase se cache au plus creux de la rivière. Sa voix fait des bulles café au lait, parmi le tohu-bohu de la mort, dans des glouglous épais il affirme que c'en est fait de toute vie terrestre pour la petite Hélène.

Lydie crie dans la cabane d'Alexis. Elle appelle Hélène. Elle grelotte et elle ne cesse de vomir dans le lit d'Alexis. Toute la rivière à cracher, pense-t-elle, et sa vie qui vient avec dans un flot de bile.

Alexis a allumé le poêle à bois et fait chauffer de l'eau. Il demande à Lydie d'enlever ses vêtements mouillés. Elle n'entend rien de ce qu'il dit, toute voix humaine lui étant devenue étrangère, ricochant en vain contre le bruit de l'eau dans sa tête. Elle claque des dents.

Il la déshabille comme s'il la sortait d'un paquet d'algues visqueuses. Il la tient un instant dans ses bras, toute nue, absente et glacée. Il la recouvre avec des chandails et des couvertures de laine, il lui met des bouteilles d'eau chaude aux pieds et tout le long du corps. Les bouteilles ne manquent pas dans la cabane d'Alexis, les vides et les pleines. En vain le garçon tente de faire boire Lydie en lui soulevant la tête, le gin coule en rigoles aux commissures des lèvres serrées.

Il s'assoit sur une chaise, tout contre le lit, et contemple Lydie qui s'agite parmi les bouteilles d'eau chaude. Elle se calme peu à peu et s'endort, toute recroquevillée, comme dans le ventre de sa mère. L'air dans la pièce s'épaissit. Le jour baisse. La main d'Alexis effleure la main de Lydie sur la couverture de laine grise. Il l'appelle à haute voix « Cher beau Pitou » et « Ma belle chouette ». Il entreprend de vider consciencieusement la bouteille de gin.

Bien avant que la noirceur soit tout à fait tombée Alexis s'est affaissé sur le lit, aux pieds de Lydie. La bouteille vide roule par terre, d'un bout à l'autre de la pièce, avant de s'immobiliser contre le poêle.

Un bruit de moteur, l'éclat des phares dans la fenêtre sans volets ni rideaux, un piétinement confus autour de la cabane, des coups redoublés dans la porte de planches n'ont pas suffi pour les tirer tous les deux de ce sommeil profond qui les garde bien au-delà des bruits de la terre.

La porte non fermée à clef s'ouvre sous une poussée vigoureuse. Les voici dans la pièce tout ramassés sur eux-mêmes, nets et précis en grandes personnes responsables qui savent ce qu'il faut faire et qui n'ont que juste le temps de le faire.

Mme Ouellet lui a apporté des vêtements secs. Elle lui fait un rempart de son corps massif pendant qu'elle s'habille dans l'unique pièce de la cabane, maintenant pleine de monde. Mme Ouellet parle de la petite Hélène Vallières qui est morte dans les rapides, la tête fracassée sur les rochers.

Les parents de Lydie sont là, tout contre la porte, qui respirent avec peine l'air confiné de la cabane. Ils attendent de reprendre leur fille et de la ramener au collège, là où elle sera en sécurité.

Le père, dans son long manteau à martingale, le chapeau de feutre velours à la main, s'avance d'un pas raide vers Alexis. Il lui tend une main à moitié refermée sur des billets froissés. Il susurre entre ses dents :

— Pour avoir si bien pris soin de ma petite fille.

Alexis déplie soigneusement les billets afin que tout le monde dans la cabane puisse bien les voir, un billet de vingt dollars et un billet de cinq. Il les prend par un coin avec dégoût comme s'il s'agissait d'une souris morte qu'il tiendrait par la queue, ouvre le rond du poêle et laisse tomber les billets dans le feu. Après avoir refermé le rond il se retourne en bâillant :

— Je n'ai plus besoin de personne ici dedans. C'est pas la peine de rester. J'ai à faire de bonne heure, demain matin, trois cordes de bois à livrer. Il faut que je dorme tout mon soûl jusqu'à demain. Bonsoir, la compagnie.

Sans un regard du côté de Lydie il s'applique à retaper les couvertures du lit.

C'est Lydie qui s'approche d'Alexis, s'échappant des mains de sa mère qui la tenait par le bras et l'entraînait vers la porte. Sa pâleur est extrême. Elle marche comme si elle allait tomber, à chaque pas. Mais une flamme vive illumine de nouveau son visage glacé. Elle parle bas à l'oreille d'Alexis :

— Fais ça pour moi, je t'en prie. Il faut. Il faut. Avant que je disparaisse d'ici à jamais. Lâche les chevaux du champ municipal. Tu sais bien, le champ au bord de la rivière ? Lâche-les dans le village. Après ça je pourrai partir tranquille et j'aurai tout mon temps pour penser à toi, Alexis Boilard, une fois dans mon collège américain, entre deux cours de morale, deux longueurs de piscine.

De nouveau elle a envie de rire comme si elle était bien portante et dans son état normal.

La mère de Lydie a relevé la voilette qui lui couvrait les yeux comme un petit grillage noir, elle dit de sa grande bouche très rouge :

— Viens, ma petite fille. Viens vite.

Lydie traverse le village, une dernière fois, bien calée dans la longue voiture de ses parents. Elle tente de graver dans son souvenir les maisons, les arbres, la rivière, les collines, tout le paysage familier qui s'éloigne d'elle vertigineusement, à chaque tour de roues.

Elle n'entendra pas le piétinement énorme et confus des lourds chevaux de labour, lâchés après son départ, à grands coups de fouet, par Alexis Boilard, dans la rue principale. Elle ne verra pas les maisons de bois s'illuminer, l'une après l'autre, réveillées par le galop des chevaux. Seule la maison des Vallières, entrevue au passage, à travers ses larmes, continuera de flamber, toutes lampes allumées, dans la mémoire de Lydie, comme une chapelle ardente.

Incrédule, Pauline a d'abord tenu entre ses bras le corps de sa fille, gorgée d'eau et de sable, comme si elle eût été vivante. Elle a pansé sa blessure à la tête, écartant doucement les cheveux blonds. Elle a elle-même lavé, habillé et couché sur son lit sa fille endormie. Elle lui a croisé les mains sur la poitrine. Toute la nuit elle l'a veillée comme une enfant malade.

Ce n'est qu'au petit matin, lorsque les premières lueurs de l'aube sont apparues à travers les carreaux de la fenêtre, que Pauline s'est mise à hurler, pareille à une louve prise au piège. Elle s'est abattue face contre terre.

III

Julien apprend à vivre désormais en tête à tête avec une blanche figure de cire, aux sombres rousseurs figées, avec un corps massif qui refuse de bouger. Refus volontaire ou paralysie réelle. Les jours passent et Pauline ne recouvre ni la parole ni le mouvement. Délaissant ses études, son fils lui consacre tout son temps. Il la porte de son lit à son fauteuil, de son fauteuil à son lit, lui prépare ses repas et la fait manger, la lave et lui apporte le bassin.

A force de scruter le visage impassible, dans l'espoir de saisir la moindre réaction, le moindre signe de vie, il s'est rendu compte que les traits de sa mère se transformaient, se durcissaient peu à peu, devenaient plus virils, l'arête du nez s'avérant plus forte, la mâchoire, plus saillante, la bouche, plus amère. Il devint bientôt si habile à déceler le moindre frémissement sur le visage maternel qu'il s'est aperçu que Pauline remuait imperceptiblement les lèvres à certains moments. Il s'est appliqué à lire sur les lèvres de sa mère. Il a fini par distinguer deux mots, mâchouillés en silence, toujours les mêmes, selon l'humeur de Pauline, « maudit » et « mon amour ».

Julien s'est bien gardé de parler de sa découverte au docteur, désirant conserver pour lui seul ce secret qu'il partageait avec Pauline.

Si l'image de Lydie lui revenait parfois avec violence, il la repoussait, s'obligeant aussitôt à toutes sortes d'occupations ménagères, fastidieuses et accaparantes. Son ressentiment contre Lydie était très grand.

Le silence dans l'appartement de la rue Cartier s'épaississait, de jour en jour, et la jeunesse de Julien s'en accommodait comme d'une mauvaise fortune. Bientôt il n'eut plus qu'une idée en tête, faire parler sa mère, l'arracher à son mutisme. Il la serrait dans ses bras, lui disait, tout bas, contre sa face de pierre, le plus près possible de ses yeux vides, de sa bouche muette :

— Dis-moi bonjour, comment ça va ? Je t'en prie, dis-moi bonjour, comment ça va ?

Et il la secouait par les épaules.

— Bonjour, bonjour, dis bonjour. C'est pas difficile. Essaye un peu. Je te salue bien, moi, toute la sainte journée. Je suis ton fils Julien. La petite Hélène est morte. Lydie est maudite. Mais, moi, je suis là. Dis-moi bonjour. C'est moi, Julien.

Lorsqu'elle a été tout près de mourir, trois ans après la mort d'Hélène, Pauline a incliné la tête sur son épaule, penché tout son corps de côté, comme si elle allait tomber de son lit, et elle a dit nettement, à voix haute :

— Je glisse.

Seul son fils Julien entendit la dernière parole de Pauline Vallières, décédée à l'âge de quarante-cinq ans, le 5 avril 1937, des suites d'une intolérable douleur.

Ayant abandonné ses études pour soigner sa mère, à la mort de celle-ci Julien est devenu employé des Postes, au bureau principal de la rue Saint-Paul.

Il a tôt fait de reconnaître son nouveau territoire. Quelques pièces dans l'appartement de la rue Cartier, quelques rues dans la ville. Plus jamais Duchesnay, sa rivière et son village, pas plus que le Claridge sur la Grande-Allée. En évitant ainsi certaines rues, certaine campagne, il avait l'impression de consoler sa mère et de lui être fidèle au-delà de la mort.

Il lui arrivait parfois, en rêve, d'éprouver très fort le baiser de Lydie sur ses lèvres, dans sa bouche, de sentir ses dents et sa morsure qui le réveillaient brutalement. Ces matins-là il n'échappait à son trouble bonheur qu'en accusant Lydie à haute voix de tous les maux de la terre.

S'asseoir dans le même fauteuil à oreillettes, soir après soir, une fois rentré de son travail à la Poste, marcher dans le long corridor pour se dégourdir les jambes, s'habiller le matin, se déshabiller le soir, se faire la barbe à la même heure, devant la même vieille glace piquée, sans voir son jeune visage vieillir, trier des lettres tout le jour, manger sur le pouce, dormir en chien de fusil, vivre sans faire de bruit, de la rue Saint-Paul à la rue Cartier et de la rue Cartier à la rue Saint-Paul, ainsi se déroulaient les lentes journées de Julien Vallières.

L'appartement encombré de meubles victoriens, recouverts de reps rouge, fané par l'usage et par le soleil, lourd de silence amassé et de souvenirs tapis dans l'ombre, enfermait Julien comme une prison. Il ne s'en échappait que pour retrouver les sacs postaux et les petits casiers de bois gris où il déposait des lettres, à la cadence d'une bonne machine silencieuse, aux rouages bien huilés. Il n'adressait que rarement la parole à ses camarades de travail. Il ne les distinguait pas les uns des autres.

Peu à peu, furtivement, comme on dérobe des objets en cachette, Julien s'est mis à débarrasser le salon des affaires ayant appartenu à sa mère et à sa sœur. Il a installé ses livres et son tourne-disque, il a disposé à sa façon le grand fauteuil à oreillettes. Les soirs d'hiver il fermait les rideaux déteints sur les vitres givrées et il lisait des poèmes, il écoutait de la musique jusque tard dans la nuit.

Les jours, les mois, les années passent. Julien ne lit pas les journaux. Il n'écoute pas la radio. Il semble ignorer que la guerre, chaque jour un peu plus, établit son empire sur le monde et fait basculer les pays, un par un, dans l'horreur.

Mais la paix étrange de Julien devenait de plus en plus fragile, comme la peau sur le lait qui bout dessous.

Elle s'appelle Aline Boudreau. Elle est enfantine et jouf-flue. Ses petites mains diligentes passent devant Julien, à longueur de journée, tout occupées à leur besogne quotidienne, parmi les lettres de la Poste centrale. Un jour l'idée est venue à Julien d'attraper au vol une de ces petites mains, d'en sentir la chaleur entre ses doigts. Il a alors vu un visage éperdu de bonheur surgir, pour la première fois, de ce lieu familier où il ne reconnaissait personne. Des yeux très pâles se sont levés vers lui. Il a été regardé comme on regarde une apparition de saint. Julien s'est aussitôt dit que le pouvoir d'adoration de cette fille devait être sans bornes. Lui qui était long comme un jour sans pain, commençant déjà à se voûter, il éprouvait soudain l'envie folle d'être emmailloté comme un nouveau-né et aimé sans limites par une femme qui ne ressemblerait ni à sa mère ni à Lydie.

Pendant une semaine il lui a fait la cour, lui offrant des fleurs et un peigne en écaille, la ramenant chaque soir chez elle, rue Latourelle, dans une maison en briques jaunes, noircies comme après un incendie.

Le dimanche venu il est monté à sa chambre qui sentait l'encaustique et la lessive. Elle a été à lui, quand il l'a voulu, comme il l'a voulu. Elle répétait avec ravissement :

— Je me damne pour toi, mon beau monsieur.

Et elle cachait son visage dans ses mains.

La fierté de Julien était telle qu'il aurait voulu pouvoir mettre à la fenêtre son grand mouchoir blanc, taché de sang, comme font les petites mariées arabes avec leur drap de lit, le lendemain des noces, mais en même temps il avait honte de ce qu'il avait fait et il craignait d'avoir blessé Aline.

Longtemps ils sont restés blottis l'un contre l'autre dans la pénombre de la chambre et la chaleur du lit. Lorsque Julien a cru déceler une vague lueur à travers les rideaux à fleurs il s'est levé précipitamment, comme Cendrillon au premier coup de minuit :

— Il faut que je parte! Il faut que je parte!

En guise d'adieu elle lui a offert deux pages entières de son carnet de rationnement, une pour le sucre, l'autre pour le café.

— Tu es vraiment trop maigre et trop triste. Mange. Il faut manger. C'est bon pour toi.

— Il faut que je parte! C'est le matin!

— Tu as déjà vu le soleil se lever, mon petit Julien ?

Pour la première fois, depuis la cabane aux renards, il est dehors dans l'aube mouillée. Il ne faut pas qu'il s'attarde dans le lit d'Aline au moment où le soleil monte lentement dans le ciel. Cette heure incertaine, entre le jour et la nuit, appartient au spectre léger de Lydie. Les gestes d'amour avec Aline n'ont fait que réveiller le souvenir de Lydie.

— Tu verras comme c'est triste et beau, la nuit qui cède peu à peu et s'emplit de lumière.

Sa voix rauque dans l'oreille de Julien comme une vibration de l'air autour de lui.

Julien a rendez-vous avec Lydie dans la ville morte, à l'heure où seuls les fantômes se promènent en toute liberté.

La barbe sur ses joues comme une salissure, les mains dans les poches, le menton engoncé dans le col relevé de sa veste, il s'engage sur la Grande-Allée. Il s'arrête devant le Claridge, examine avec soin les fenêtres aveugles, se demande dans quelle chambre secrète, derrière quels rideaux tirés, peut bien reposer Lydie dans toute sa gloire endormie.

Voici le jour de nouveau comme un grand vent chaud qui se répand sur les toits, court à perdre haleine dans les rues les plus longues, se glisse parmi le dédale des petites rues, s'étend à l'infini sur les Plaines, en bordure du fleuve.

Julien franchit le seuil du Claridge. Il parle au portier. Il demande le numéro de l'appartement de Lydie.

— M. et Mme Bruneau, leur fille et tout leur barda, deux camions Baillargeon pleins, sont partis pour les États, il y a déjà pas mal d'années, sans laisser d'adresse.

Durant toutes ces années passées je dormais, enfermé rue Cartier, avec mes disques et mes livres. Lÿdie en a profité pour disparaître.

J'étais pareil à un mort dans ses bandelettes. Il a fallu qu'Aline vienne pour que je me réveille à demi, tel un homme qui se soulève sur un coude et salue le jour de son lit. Il a suffi qu'Aline se montre et que je la touche comme un homme touche une femme. Que le diable emporte Aline. Elle n'avait qu'à ne pas faire les choses à moitié. M'aimer comme si j'étais un dieu n'est pas suffisant. J'aurais voulu qu'Aline soit elle-même surnaturelle, l'égale de Lydie, son double magique. Aline n'est pas à la hauteur. Je ne la verrai plus.

Aline, après le départ de Julien, s'est étirée, toute nue devant la fenêtre, oubliant que la veille encore elle n'avait jamais assez de vêtements pour se cacher aux yeux du monde. Du haut de sa fenêtre elle regarde les maisons, les rues, les voitures, les petits personnages circulant sur les trottoirs, la ligne des montagnes au loin. Il est grandement temps de s'habiller et de partir pour la Poste, elle s'attarde pourtant, regarde la ville comme si elle en prenait possession. Elle qui n'a à sa disposition qu'une chambre, rue Latourelle, il lui semble qu'elle a droit désormais à la ville tout entière, grouillante de vie, étendue là à ses pieds. Quelque part, dans une maison inconnue, Julien s'apprête à partir lui aussi, bientôt il viendra vers elle par des rues encore fraîches.

Aline se hâte. Ses souliers rouges trottinent allégrement sur le trottoir. Elle voit tout, elle entend tout sur son passage comme si tout lui était offert et donné. Les rues, les maisons, les petits terrains devant les maisons, les enfants qui jouent, les chiens qui aboient. La ville entière s'est apprivoisée. Aline pourrait elle-même délimiter les bornes de la ville, l'organiser à sa manière, en fixer le cœur secret, le loger dans sa propre poitrine, ce cœur rayonnant qui l'enchante.

Durant toute la journée la place de Julien à la Poste est demeurée vide, parmi les sacs de courrier accumulé. Aline ne possède ni l'adresse ni le numéro de téléphone de Julien.

Des modèles romantiques plein la tête, Julien se complaît dans sa solitude. Bien installé dans son fauteuil, il lit des poèmes, il écoute des disques. Il cherche des complices et des frères. Il voudrait pouvoir mêler sa voix aux chants les plus désespérés de la terre. Le deuil de Lydie qu'il a retardé pendant si longtemps, il aimerait maintenant le célébrer, dans un grand poème funèbre, pareil à une fleur vénéneuse qu'il s'arracherait du cœur. Il s'abîme dans le rêve.

Dans la chambre rouge silencieuse bientôt il n'entend plus rien, ne voit plus rien, n'éprouve plus qu'une immense lassitude. Livres refermés, disques qui ne tournent plus, les raisons de son âme en peine ne lui sont plus perceptibles. Julien s'endort dans son vieux fauteuil râpé qui sent la poussière.

Au réveil il ne sait plus très bien si c'est la fin d'un jour ou son commencement. A travers la vitre un pâle soleil filtre. Le temps n'est plus mesurable. Il ne lui reste plus qu'à traîner à sa guise, comme un somnambule, marcher sans fin dans le long corridor, heurter au passage la porte fermée de la chambre de Pauline et celle d'Hélène.

La vie de Julien est encombrée de femmes mortes. D'où lui vient donc cette idée subite d'injurier Lydie comme si elle était vivante ?

Aline croit que jamais plus elle ne reverra Julien. Elle continue de regarder par sa fenêtre. Le mauvais côté de la ville est là sous ses yeux après ce bon côté qu'elle a d'abord connu et qui ne reviendra plus. Les malades, les estropiés, les humiliés, les offensés, les vieillards, les prisonniers, l'enfant qu'on bat, la femme qu'on outrage, tous sont là, sous sa fenêtre, qui l'assurent qu'un chagrin d'amour, ce n'est rien dans l'océan de douleur du monde. Elle n'a plus qu'à prendre sa place, comme tout un chacun, dans cette ville qui lui appartient depuis peu, rentrer dans le rang qui lui est destiné de toute éternité. Voici sa part bien à elle, son baluchon sur l'épaule qu'il lui faut charger à l'instant. Plus que la ville où elle est née, le monde entier est là devant elle, rond comme une orange qu'elle pourrait tenir dans sa main. D'invisibles créatures naissent et meurent. Leurs cris se perdent dans l'immensité. Aline n'est plus qu'un point qui s'efface sur la mappemonde tandis qu'une ombre gigantesque s'attarde sur les terres et les océans et dessine la forme d'une croix.

Aline n'a pas de larmes. Une brûlure vive lui pique les yeux, lui dessèche les lèvres.

Le soir du troisième jour, elle s'est couchée, comme d'habitude. Longtemps sans dormir, elle regarde au plafond le reflet des phares de voitures passant dans la rue.

Nous entrerons dans des villes splendides
Flambant nus
Montés sur des chevaux d'épouvante.

Son unique poème. Julien rabâche les mots anciens. C'était l'automne au bord de la rivière Duchesnay. Trois lignes à peine en l'honneur de Lydie Bruneau. Julien s'assoit à la table de la cuisine. Il boit du café. Il implore la grâce. Il espère le poème. Il griffonne des pages entières qu'il déchire aussitôt. Des lettres mortes que personne ne lira jamais.

Une fois seulement, c'était l'automne au bord de la rivière Duchesnay, l'amour et le poème, les chevaux d'épouvante lâchés contre son cœur. La créature superbe qui les menait a fui, hors du monde, dans un claquement de sabots.

Voici l'appartement de la rue Cartier. Dans la cuisine, des bouts de papiers déchirés, par terre, autour de la table de bois blanc. La chambre rouge, des livres, des disques, des vêtements, des tasses vides, la cafetière renversée sur le tapis dans l'air confiné.

Julien ouvre la fenêtre toute grande, respire profondément comme quelqu'un qui reprend son souffle après une trop longue course. Il a faim et soif.

Plus un seul grain de café ni le moindre petit bout de

pain dans la cuisine. Penché à la fenêtre, Julien écoute la rumeur nocturne qui monte vers lui. Le corps léger d'Aline repose quelque part dans la nuit. Julien n'a que le temps de se rendre rue Latourelle. Il craint d'avoir perdu Aline. Il prend une douche et se fait la barbe, se précipite dehors dans la touffeur de la nuit d'été. Il se mettra à genoux devant Aline, il implorera son pardon. Il mendira une tasse de café et un bout de pain.

Elle fait chauffer l'eau. Elle prépare le café. La voici qui sort des tranches de pain très blanc d'un sac en papier brun. On entend l'eau qui chante dans la bouilloire. Elle se retourne lentement, pieds nus, drapée dans son peignoir à fleurs. Ses cheveux décoiffés moussent sur son front, jusque sur son nez. Sa voix n'est plus la même. Un tout petit filet de voix, à peine perceptible :
— Tu veux du sucre dans ton café ?
Elle croise et recroise son peignoir sur sa poitrine. Il mange et il boit. Il a un plateau posé sur les genoux. Il évite de la regarder tandis qu'il sent les yeux d'Aline fixés sur lui. Elle est debout devant lui, qui ne bouge pas et le considère sans fin, comme si elle n'en revenait pas de le trouver là, dans sa chambre.
De nouveau sa voix à moitié ravalée :
— Je crois que j'ai failli mourir.
Elle rit, confuse, comme si elle venait de dire une grosse bêtise.
— Fais pas attention. Je suis folle.
Aline est si lasse que Julien lui enlève son peignoir et la met au lit doucement, avec d'infinies précautions. La voici couchée, sur le sofa étroit. Elle ferme les yeux, épuisée de tant de larmes retenues.
Elle chuchote :
— Bonsoir, bonne nuit, à demain.

— A demain,
répond Julien qui regrette déjà de s'engager à l'avance,
pour toute une journée.

Il met la main dans sa poche, touche le métal froid de
la clef de son appartement, comme s'il avait accès à toute
sa liberté d'homme.

Julien ramène Aline chez elle, tous les soirs, après le travail. Parfois il monte avec elle dans sa chambre sous les toits. Elle lui prépare des spaghettis et des toasts dorés, du café en poudre et du fromage aux cerises. Ils font l'amour ensemble, sans extravagances et sans oublier les précautions. Elle est folle de lui. Il est raisonnable comme un premier de classe.

Dès qu'il quitte Aline, Julien retrouve la solitude de la chambre rouge. Parfois il écrit des poèmes qu'il déchire. Il fait tourner des disques. Il écoute Bach, Mozart, Beethoven et Schubert, Ravel et Stravinski. Il lit des poèmes et des romans. Il est transporté dans un univers sans limites, foisonnant de sensations étranges et de personnages étonnants. Une seconde existence double sa petite vie d'employé modèle et d'amant très sage. Des villes fabuleuses apparaissent entre les lignes de ses livres, laissent entrevoir le dédale des rues et des ruelles étrangères, tandis que de grandes places sacrées surgissent avec des cathédrales debout, comme des pierres énormes dressées, pleines de saints et de démons sculptés.

Anywhere out of this world. Les coupoles de Saint-Pétersbourg, Raskolnikov et Stravoguine, le smog des rues de Londres et les prisons pour dettes de Dickens, Esmeralda dansant sur le parvis de Notre-Dame, le bleu de Chartres (entrevu dans des albums payés très cher), autant d'images qui apparaissent aux yeux de Julien comme les éléments épars de la terre promise dont il rêve.

Sur les pas de Baudelaire il goûte le spleen de Paris, respire un air délétère, erre sans fin dans des rues hantées, tandis que le cri du mauvais vitrier lui déchire l'oreille et que Mlle Bistouri s'attache à ses pas, ne cesse de lui demander :

— Êtes-vous médecin ?

Quand la guerre sera finie et qu'il aura économisé assez d'argent, Julien partira. Il s'embarquera sur un bateau et franchira l'Atlantique. Pendant des jours et des nuits il connaîtra l'océan.

Julien va de plus en plus souvent chez Aline. Il grimpe les étages tout essoufflé. Il appelle Aline « Ma douce », « Ma perle », « Ma merveille », quoiqu'il n'aime pas ses robes à fleurs ou à carreaux.

Lorsque Julien est auprès d'elle, rien ne semble pouvoir entamer la paix d'Aline. La figure enfouie dans le cou de Julien, il lui arrive de penser à l'éternité, sans crainte ni frayeur. Quand la terre ne sera plus, pense-t-elle, et que Julien, réduit à son âme volatile, sera jeté, tout vif, dans le buisson ardent de Dieu, comme une petite flamme de bougie perdue dans l'océan de feu, je saurai bien le reconnaître, entre tous, et m'y réchauffer les mains et le cœur, durant des siècles et des siècles.

Parfois Julien se risque à lire à Aline un de ses poèmes sauvés de la corbeille à papier, comme s'il lui confiait un secret redoutable.

Elle écoute, les sourcils froncés, au comble de l'attention, fascinée par ce langage étrange qu'elle ne comprend pas plus que le latin d'Église qui a bercé son enfance. Est-il possible que toutes ces fantaisies écrites par Julien ne soient, comme le latin, que les signes obscurs de la parole de Dieu ?

Elle cache son visage dans ses mains. Le mystère de Julien la gêne et l'effraie comme s'il était sacré. Elle bafouille :

— Mais où vas-tu chercher tout ça, pour l'amour de Dieu !

Souvent, lorsque Julien cogne à sa porte, trois petits coups, selon le signal convenu, Aline sursaute, car, penchée sur son poste crachotant, elle écoute les nouvelles de la guerre. Elle plaint doucement les réfugiés, les prisonniers, ceux qu'on torture et qu'on tue, sous des pluies de feu. Elle retient des noms de pays, s'imagine les larmes et le sang. Elle dit, à mesure que passe le temps et que s'avance l'horreur : « Pauvres petits Polonais, pauvres petits Belges, pauvres petits Français, pauvres petits Canadiens, pauvres petits Russes, pauvres petits English. » Un soir que Julien est apparu chez elle, après une semaine d'absence et de silence, elle a fermé son poste, elle a repris son ton d'infinie compassion et elle a murmuré :
— Pauvre petite moi.

Elle dit des riens en pouffant de rire. Elle répète plusieurs fois les mêmes petits riens de sa vie de tous les jours, comme si c'étaient des affaires d'État. Mais lorsqu'il s'agit de ce qui lui importe le plus au monde, son amour pour Julien, il faut lui arracher chaque mot de la bouche, comme si elle craignait d'avoir à cracher son cœur tout cru et d'en mourir sur le coup.
Elle marmonne, semble se moquer d'elle-même et de Julien :

— Toi pis moi ensemble, c'est le paradis, mon beau monsieur !

A aucun moment, les plus doux comme les plus amers, elle ne pose la question à Julien :

— Est-ce que tu m'aimes ?

Ne sait-elle pas dans le plus creux de ses os que Julien n'a rien à répondre à une pareille question ?

Il est comme un Don Quichotte enfantin, gorgé de lectures et de musiques, qui accumule des trésors, avant de partir pour le vaste monde. Un jour Julien s'embarquera pour les vieux pays ayant fait provision de merveilles, dans une chambre fermée.

Il lui arrive d'entraîner Aline jusqu'aux Foulons et de regarder le fleuve immense, jusqu'à la côte Lévis. Bientôt il s'amuse à jouer à la Seine. Il tente de mettre à l'échelle de son désir le Saint-Laurent, qu'il trouve démesuré, plein de vertige. Il contemple l'eau et les vagues à travers un petit rond, entre son pouce et son index. Je crois ce que je veux croire, se répète-t-il. Voici la Seine entre mes doigts qui coule et se retourne au soleil. D'un moment à l'autre Baudelaire peut surgir, sur la berge pierreuse, avec ses cheveux verts et son haut-de-forme sur l'oreille.

Aline touche l'épaule de Julien comme un enfant qu'il s'agirait de réveiller doucement, sans trop le secouer ni l'effrayer :

— Viens vite. Il faut rentrer, maintenant.

Lorsque la guerre a été finie, Julien, un instant arraché à son monde imaginaire, a senti passer sur sa peau comme un frisson. La dure réalité de la terre comptait ses morts et ses rescapés. Il a demandé à Aline d'organiser une petite fête pour célébrer la victoire.

Aline a déplié la table à cartes et il n'y a plus eu d'espace pour circuler autour de la table. Elle a mis sur la table une nappe blanche, brodée au point de croix, des assiettes bleues avec des personnages jaunes, des verres vides de fromage à la crème, soigneusement lavés et brillants comme du cristal, une bougie rouge allumée. L'exiguïté de la chambre d'Aline ne semble gêner en rien ses gestes précis. Elle se tourne et se retourne, de la table au minuscule réchaud électrique et du réchaud à la table, comme quelqu'un qui danse sur place. Sur le sofa-lit, des fraises tout équeutées dans un bol bleu. Le ragoût mijote sur le réchaud, tandis que le couvercle d'aluminium s'agite dans des bouffées d'odeur.

Il y a une rose rose que Julien lui a offerte et mise dans un verre, sur l'appui de la fenêtre.

Si Aline fait un pas en direction de la fenêtre, c'est pour respirer la rose de Julien, en sentir la douceur fraîche sur sa joue.

A la fin du repas, lorsqu'ils eurent chacun fumé une cigarette, Julien a embrassé Aline. Il lui a dit que, maintenant que la guerre était finie, il n'avait plus qu'une idée en tête, partir pour la France, dès qu'il serait possible de le faire. Il continuait d'embrasser Aline qui ne bougeait pas plus qu'une morte.

C'est alors qu'Aline s'est rendu compte que parallèlement aux rêveries mystérieuses de Julien elle possédait aussi une rêverie secrète, bien à elle. Une chambre très vaste, avec des fenêtres hautes, une longue table, une nappe comme de la neige blanche, jusque par terre, un fourneau énorme où cuisaient des gâteaux à trois étages, un air profond à respirer, répandu partout, comme au bord de la mer, un grand lit pour s'y coucher avec Julien et faire l'amour sans précautions et commencer une famille en toute quiétude.

Julien attend que tout se calme en France. Les règlements de comptes, les procès, les filles tondues. Il lit les journaux et les revues. Il découvre le monde aux jours de sa malédiction.

Julien fait des économies sordides, en vue de son voyage dans les vieux pays. Il se prive de chaussures et de cinéma, n'achète plus de fleurs pour Aline. Il compte ses sous et ses piastres. Il compte les mois, les semaines, les jours qui le séparent de sa traversée de l'Atlantique. Il écrit des poèmes qu'il jette aussitôt.

Un soir, Julien a remis les clefs de son appartement à Aline. Il lui a demandé si elle ne voulait pas habiter chez lui pendant son absence. Deux chambres cependant demeuraient interdites, la chambre de Pauline et celle d'Hélène. Aline a fait le tour de l'appartement. Elle a vu au passage, dans le long corridor, les deux portes condamnées. Des mortes chuchotaient obscurément derrière ces portes. Aline en était sûre comme quand on entend un moustique vibrer dans l'ombre sans qu'on le voie.

Aline regarde le trousseau de clefs, au creux de sa main. Elle pense à *Barbe-Bleue* et elle se refuse à entrer dans un conte aussi cruel. Elle répond à Julien qu'elle préfère rester dans sa chambre, rue Latourelle.

Elle a tenu à voir son billet de bateau avec le numéro de sa cabine. Elle a promis de lui écrire.

Deux jours plus tard Julien fait ses adieux à Aline. Il l'embrasse sur la bouche, sur les yeux, sur le nez, sur le front, boit ses larmes le long de ses joues.

— Je reviendrai. Tu sais bien que je reviendrai.

Le *Mauritania* s'arrache lentement du quai, tire de longs fils visqueux d'huile et de goudron. Aline mesure cet espace qui grandit imperceptiblement entre le bateau et le quai. Elle regarde sur le pont le mouchoir blanc de Julien qui s'agite et disparaît peu à peu.

Lorsqu'elle n'a plus rien vu à l'horizon, que le gris de l'eau, que le gris du ciel, Aline a eu très froid dans le dos, sur ses bras nus, et jusqu'à la racine de ses cheveux, malgré la grande, chaude journée de juin, autour d'elle.

IV

Les voici tous les deux, assis côte à côte, sur un banc de bois, dans une allée du Luxembourg. Julien n'est plus seul, perdu dans une ville étrangère. Une femme est avec lui, sous les arbres calmes et bien rangés, dans l'air chaud de juillet.

Il penche la tête, regarde le sable à ses pieds, le creuse avec sa chaussure. La vraie vie n'est pas ici, pense-t-il, avec cette inconnue à ses côtés et ce jardin trop bien léché, tout autour de lui. Il n'est que silence bougon et têtu.

— Oh là là, quel grognon vous faites !

Son rire est léger et elle regarde Julien avec étonnement.

Il pense aux arbres qu'il a connus à Duchesnay, poussant en désordre, les morts mêlés aux vivants. Il relève la tête. Il ne voit plus rien de ce qui l'entoure, ni le jardin ni la femme à ses côtés. Dans sa poitrine un pays sauvage et taciturne lui serre le cœur.

— Mon Dieu, que ce jardin est sage et bien apprivoisé !

Elle rit très fort, sûre de la beauté suffisante de son jardin et de la plénitude de sa vie.

Il penche de nouveau la tête, regarde avec attention le sable et les gravillons à ses pieds. Il voudrait n'avoir ni passé ni tourment, que *des félicités mesurables et des chagrins guérissables*, comme cette femme tout contre lui qui n'en finit pas de rire.

143

Elle force Julien à lever la tête, les deux mains sur sa nuque, fourrageant dans sa chevelure.

— Quels cheveux vous avez, drus comme de la laine sur le dos d'un mouton, couleur de marron glacé!

Elle tente de saisir avec ses yeux vifs et joyeux le regard de Julien qui se dérobe. Elle est patiente. Elle attendra, le temps qu'il faut, un geste, une parole de lui.

Ses mains douces et chaudes sur sa nuque, sur son front. Plus tard, peut-être, une fois livré aux prestiges de la mémoire, ce court instant entre les mains de la dame des Billettes lui paraîtra délectable et déchirant, comme le don du jour qui passe et ne revient plus.

Elle s'est levée, toute droite dans la lumière, déjà reprise par sa propre vie inconnue qui l'attend là-bas, quelque part dans la ville, hors des grilles du jardin et de la portée de Julien. Il dit au revoir à une étrangère qui lui échappe, toute tendue vers un avenir immédiat dont il est exclu.

Ils allaient se quitter comme on fermait les grilles du jardin et que la file lasse et lente des ânes et des poneys regagnait son écurie, pour la nuit. Il a eu très peur de ne plus la revoir, de perdre son visage dans la foule anonyme. Il lui fait promettre de venir au concert Ravel le surlendemain à Pleyel.

Le lendemain il a plu toute la journée. Les arbres de Paris et le peu de terre, au pied des arbres, à travers les grilles, embaument comme autrefois à Duchesnay. Ainsi Lydie, dans une vie révolue, sentait la terre mouillée, dans la cabane aux renards.

Errant de café en café, respirant l'odeur fraîche de la pluie, Julien attend que viennent le jour et l'heure du concert à Pleyel.

Si parfois l'image d'Aline s'impose à lui, au comptoir d'un café, au détour d'une rue, c'est avec des souliers rouges et une robe à fleurs qu'elle surgit, impalpable et transfigurée. Il arrive alors à Julien de relire une des lettres d'Aline, consciencieusement, comme une leçon qu'il réviserait, tandis qu'autour de lui, dans la fumée des cigarettes, tintent la caisse enregistreuse et le billard électrique.

Ne prends pas froid. Ne bois pas trop de café noir. Surtout, n'oublie pas ta petite amie qui t'aime et t'embrasse très fort.

Aline

La lettre d'Aline glissée dans son portefeuille, entre les billets de banque trop grands, Julien se prend parfois à murmurer : *Quel ennui l'heure du cher cœur et du cher corps.*

145

Julien se prépare pour le concert, soigne sa tenue de soirée, met une chemise blanche empesée, un nœud papillon noir, comme s'il était en deuil. Sa mère en lui se tient tranquille depuis un bon moment déjà.

Après avoir insisté pour payer elle-même sa place, elle s'est assise à côté de lui, sur la banquette de velours râpé. Leurs deux profils, un peu solennels, se détachent légèrement décalés l'un sur l'autre, comme des profils royaux sur les timbres. A tout instant il la frôle du genou et de l'épaule. La musique les occupe et les dispense de tout geste, de toute parole. Leur plus profonde complicité vient de leur double chaleur vivante, perçue à travers leurs vêtements qui se touchent dans l'obscurité moite de la salle.

Sa main brûlante, un peu molle, abandonnée dans les plis de sa jupe, l'anneau lisse et froid qu'elle porte au quatrième doigt de la main gauche. Julien a effleuré cette main, il a senti l'anneau dur sous ses doigts. Dès lors il n'a plus été aussi attentif au concert, comme agacé par une dissonance subite, choqué par une fausse note se répercutant en écho, dans toute la salle.

A plusieurs reprises déjà elle a consulté sa montre, et voici qu'à peine attablée en face de lui à la terrasse d'un café elle annonce que des amis l'attendent, qu'elle a promis depuis longtemps...

Julien dit :
— Cet anneau que vous avez ?
Déjà elle n'a plus son alliance au doigt, l'ayant mise dans son sac, dès le concert terminé. Ses mains sont parfaitement nues, longues et lisses. Elle hausse les épaules :
— Une petite bague pour le concert, rien que pour le concert. Après ce n'est plus la peine. Je n'ai plus besoin de bijou, étant sobre et austère de nature et divorcée, par-dessus le marché.
Elle parle vite. Elle a l'air pressée de lui fournir tous les renseignements qu'il peut demander.
— Ils sont comment, vos amis ?
— Jeunes et joyeux, un peu fous. Je m'amuse bien avec eux.
— Et avec moi ?
— Avec vous ? C'est plutôt le contraire. A part votre bizarrerie qui m'intrigue, je me demande ce que je peux bien vous trouver de drôle. A moins que votre douce tête d'ahuri ne me fasse pâmer en secret ?
Tout ce qu'elle dit est murmuré très bas, d'une voix douce, avec plein de rire et d'ironie tendre.
Il n'a que peu de temps pour être avec elle. D'un instant à l'autre elle peut disparaître, reprise par sa vie cachée. La solitude de Julien dans Paris risque alors d'être très grande. Il la questionne comme un juge qui s'obstine à vouloir compromettre quelqu'un qui se dérobe. Y a-t-il longtemps qu'elle est divorcée ? Joue-t-elle d'un instrument de musique ?
— Je joue du piano quelquefois.
Elle s'impatiente, se penche vers lui, à travers la table :
— Vous gâchez tout avec vos questions. Je suis comme je suis, comme vous me voyez là, devant vous, rien d'autre qu'une passante, sans passé et sans avenir.
Elle se lève, s'appuie des deux mains à la table.
— Je m'appelle Camille Jouve. J'ai trente ans. Ma dou-

ble vie ne vous regarde pas. Imaginez ce que vous voulez. *Doctor Jekyll and Mister Hyde*, si vous voulez ?

Tout ce qu'elle dit la fait rire et se moquer. Ses dents très blanches, sa bouche rouge. Il voudrait qu'elle se taise et s'en aille tout de suite. Il n'a qu'une idée en tête. Finir son café en paix et penser tranquillement à ce qui lui arrive d'étonnant avec cette femme. Il se lève à son tour, fait un geste de la main, comme pour la congédier. Elle se rapproche de lui.

— Serez-vous au bar de votre hôtel, demain, vers cinq heures ? Je vous attendrai.

Elle s'engouffre dans un taxi qui démarre aussitôt, se perd dans le flot des voitures.

Julien termine à petites gorgées son café qui refroidit. Il aime qu'elle s'appelle Camille Jouve. C'est un beau nom. Il se répète ce nom comme une litanie. Il interroge du regard chaque passant qui défile sur le trottoir, dans l'espoir de reconnaître au passage les amis de Camille Jouve, de les interpeller, de les intercepter sur-le-champ, de les réduire au néant avant qu'ils puissent la rejoindre quelque part dans Paris et souper avec elle dans un restaurant inconnu.

Volets clos, rideaux tirés, Julien se sépare de la ville pour la nuit. Il empile ses vêtements sur une chaise. La lampe de chevet éclaire le lit dont on a fait soigneusement la couverture. C'est une chambre d'hôtel banale, bonne pour le repos ou pour l'amour. Julien est seul et nu au milieu de la pièce tandis que Paris gronde et renâcle sous ses fenêtres. Est-il donc si difficile de faire monter Camille Jouve jusqu'à sa chambre, de coucher avec elle avant de la rejeter au cœur de la ville et d'oublier jusqu'à son nom ? Julien n'aurait plus alors, ayant eu sa part d'aventure légère, qu'à repartir pour le Nouveau Monde, là où l'attend Aline, ronde et sans mystère, fraîche comme de la crème fraîche.

Et voici qu'il se tourmente et que la vie n'est pas si simple. La lumière à peine éteinte, le noir à peine établi dans la chambre, il est comme un voyageur qui s'obstine à vouloir lire le plan d'une ville dans les ténèbres. Paris est comme un atlas ouvert devant lui. Il pense aux rues qu'il connaît et plus encore à celles qu'il ne connaît pas. Il imagine des avenues profondes, bordées d'arbres, jusqu'aux plus petites ruelles qui se cachent dans l'ombre, des places célèbres ou obscures, des cafés de quartier ou ceux des grands boulevards, des restaurants pleins de monde. Il tente de découvrir la seule, l'unique grande brasserie, étincelante de lumière et de bruit, celle, entre toutes, où se tient Camille Jouve, au milieu de son conseil, entourée de ses amis. Un instant à peine avant de sombrer dans le sommeil, il entrevoit, sous ses paupières fermées, la banquette de moleskine où elle est assise, la nappe blanche où elle s'accoude, les huîtres fraîchement ouvertes devant elle alors que des visages d'hommes peu sûrs se penchent vers elle, par-dessus la table, touchent presque, avec leurs vilaines figures, sa jolie tête aux joues pâles, aux cheveux sombres.

Au petit matin, à peine réveillé, Julien s'exaspère d'avoir encore de si longues heures devant lui avant l'heure de son rendez-vous avec Camille Jouve, au bar du quai Voltaire.

Il se lève, s'étire devant la fenêtre ouverte, regarde la Seine passante et le Louvre encore endormi. Une lettre d'Aline attend, pas encore décachetée, sur le plateau, avec les miettes du petit déjeuner.

Une brume de chaleur monte de l'eau. De rares promeneurs apparaissent et disparaissent dans le matin. Les boîtes fermées des bouquinistes ont l'air de grosses caisses vertes cadenassées dans une gare.

Julien lit la lettre d'Aline. Quelques lignes à peine d'une écriture enfantine, comme tracée au cordeau.

Je me désâme sans toi. Une si longue absence dans les vieux pays, c'est pas ordinaire, je t'assure. Ici il fait beau. Je compte les semaines, les jours, les heures, les minutes, les secondes, depuis ton départ. Je pense à toi tout le temps. Je suis enceinte. Mon amour.

Aline

Sans prendre la peine de se faire la barbe et de nouer sa cravate, Julien est dehors, jeté à la rue. Il ne sait où aller, désirant trouver sous ses pas, le plus rapidement possible, la promenade la plus bruyante, la plus achalandée, encombrée de gens et de voitures, pour s'y engloutir, corps et âme. Trop de tumulte en lui, d'idées contradictoires qui se bousculent.

Des camions de livraison déchargent leurs marchandises, encombrent les rues et les trottoirs. Des passants se hâtent dans la brume qui se lève. La journée va être chaude et moite. C'est le plein été. Chacun va où le poussent et le tirent ses obligations ou son désir. Julien emboîte le pas. Les yeux fixés sur les épaules du premier venu en marche devant lui, il accorde son pas, tente de se perdre dans le sillage d'un inconnu, afin de ne plus être ce vieux garçon qui est pris au piège et qui attend un enfant. Comment cela est-il possible ? Quelle ruse d'Aline ? Quelle imprudence de sa part ? Un enfant, un enfant... Il se répète qu'il a rendez-vous avec Camille Jouve et qu'il est libre comme l'air. Tout un jour encore à parcourir, le périple du soleil, de son commencement à sa fin, cinq heures du soir, au bar du quai Voltaire.

De l'autre côté de l'Atlantique la vie aveugle suit son idée dans le ventre d'Aline Boudreau, prend racine en secret. Pour Julien, il n'est que de mettre ses traces dans

les traces d'un inconnu, boulevard Saint-Michel, de goûter la beauté du jour qui s'installe partout autour de lui.

Les hommes, les femmes en vagues successives se bri-
sant les unes contre les autres, se mêlant inextrica-
blement, se séparant, se touchant au passage. Julien
attrape de-ci de-là une parole, un regard, un sourire qui
fuit sur un visage inconnu, se plaît dans cette fourmilière
vivante, dit « Bonjour » et « Salut », comme s'il connaissait la terre entière.

Il est dehors du matin au soir, mangeant et buvant,
debout et en marche (sandwichs et canettes), parcourant
la ville d'un pas infatigable, ayant quitté les chambres fermées et le talon de la mère qui l'écrasait. Le voici comme
un serpent qui s'échappe de sous une pierre. Bientôt midi.
Des rafales de cloches planent dans l'air chaud au-dessus
de la tête de Julien. Célébration de cloches en plein midi.
Julien répète Bonjour et Bonne journée. Il parle à qui veut
bien l'entendre et on lui répond. Le dialogue est entamé
entre la ville et lui. Vendeurs à la sauvette, jeunes filles
en fleur. Le monde est ouvert de haut en bas comme une
pièce d'étoffe qui se déchire par le milieu. *Entre les hommes et Julien il y a ceci de changé qu'il va être le père de
l'un d'eux.*

Place Furstenberg, il se demande s'il ne ferait pas bon
vivre là dans cette mesure parfaite avec quatre arbres et
un lampadaire ? Il y emmènerait sa femme au ventre rond
et leur double existence faite une n'aurait plus de prix.
Rue de Buci, des fleurs déboulent librement sur le car-
reau, du trottoir à la rue, pareilles à une marée de couleurs et d'odeurs. Julien achète un petit bouquet de
violettes pour la femme qui l'attend au bar du quai
Voltaire.

Pour la première fois il a l'impression d'avancer dans une ville bien à lui, visible et palpable de tous bords et de tous côtés autour de lui. Il est cet homme mûr qui mesure sa puissance des deux bords de l'océan Atlantique à la fois. D'un côté du monde, dans les ténèbres d'Aline, sa petite amie, un enfant mûrit doucement, tandis que l'ombre de Lydie plane au-dessus du pays comme un milan à peine visible dans les hauteurs du songe. Sur le Vieux Continent, dans une ville toute proche aux pavés raboteux, tangibles sous ses pieds, à quelques rues à peine de là, une femme, dans sa robe noire, attend Julien, au bar du quai Voltaire, la lumière sourde de son corps flambe en secret.

Le bar à peine éclairé comme par une lanterne, des silhouettes sombres, des murmures feutrés, des glaçons remués dans des verres.

Julien se tient dans l'embrasure de la porte, hirsute, la barbe pas faite, la chemise ouverte et plus très fraîche, recru de fatigue.

Accoudés au bar, juchés sur de hauts tabourets, un homme et une femme sont en grande conversation. On peut voir leurs visages reflétés dans la glace au-dessus du comptoir parmi les bouteilles alignées.

Julien a rendez-vous avec cette femme. Un petit bouquet de violettes fanées à la main, sans bouger de sa place, le dos contre la porte de verre, il la regarde fixement dans la glace, désirant lui faire tourner la tête sans qu'il ait à l'appeler.

Voici qu'elle pivote sur son tabouret et fait face à Julien. Un instant il voit ses jambes superbes, croisées haut. Elle se lève et vient vers lui. Ses boucles d'oreilles tintent lorsqu'elle remue la tête. Sans sourire, toute noire et droite, elle dit « Julien ». L'homme au bar se retourne à son tour. Il regarde l'homme et la femme dans l'embrasure de la porte. Il agite des glaçons dans son verre.

Julien a saisi la femme aux poignets dans ses deux mains. Il dit tout bas, d'un trait, sans respirer :

— Je pars demain. Je ne vous verrai plus. Je me marie. Je vais avoir un enfant. C'est la dernière fois qu'on se voit.

Elle rajuste à son épaule la chaînette dorée de son sac. Elle se recueille. Elle attend, immobile près de la porte, la main sur la poignée. Julien fait deux pas en direction du bar. Il jette le bouquet de violettes sur le comptoir en face du monsieur qui agite des glaçons dans son verre vide.

Il revient vers Camille Jouve. Il s'efface devant elle pour la laisser passer. Le vieil escalier de velours rouge à baguettes de cuivre est là tout près, dans le corridor.

Julien s'allonge par-dessus les draps défaits. Il regarde entre ses cils la femme qui se rhabille. Elle a ramassé sa robe par terre là où elle l'avait jetée. Un instant elle la tient à bout de bras au-dessus de sa tête. Qu'elle s'encapuchonne de noir au plus vite, la robe sur la figure, et disparaisse à jamais. Ainsi on rabat le drap sombre sur la cage des oiseaux lorsque tombe la nuit. Tout juste bonne pour le songe, que vient faire cette femme dans le lit de Julien ?

Ils ont fait le nécessaire pour que s'apaise le désir et vienne la séparation. Elle a gémi tout son soûl contre lui, attentive à son seul plaisir. A peine sorti d'entre ses cuisses il lui en veut déjà parce qu'elle est plus belle qu'Aline et n'aurait jamais dû naître.

C'en est fait de leur brève rencontre. Voici qu'ils sont séparés comme s'ils ne s'étaient jamais connus.

Elle reprend ses vêtements épars sur le sol et les secoue. A moitié rencogné contre le mur avec cette femme dans la chambre qui n'en finit pas de s'habiller, Julien pense à l'offense faite à Aline.

Ce n'est que mon enterrement de vie de garçon, se répète-t-il tandis qu'elle s'approche doucement pour lui dire adieu. Paisible et libre de nouveau, elle se penche vers lui. Il sent son souffle chaud sur sa joue. Il feint de dormir alors que tout son être s'élance vers elle pour la prendre dans ses bras une dernière fois.

Un long moment il s'obstine à rester étendu dans le noir, tente de mettre de l'ordre dans ses idées, implore en vain le sommeil, désire de toutes ses forces cet oubli profond, cet ancrage lourd au fond de la nuit. Dormir comme une brute. Toute sa vie se bouscule en vrac dans sa tête, le tient en haleine.

A mesure que passe le temps, les yeux grands ouverts sur le désordre de la chambre aux rideaux tirés, Julien n'a plus qu'une idée en tête. S'enquérir du prochain départ de l'*Homéric*. Réserver son billet le plus rapidement possible. Il se lève et fait sa toilette. Son voyage dans les vieux pays est terminé.

Camille Jouve continue d'exister hors de la portée de Julien. La voici qui s'installe de nouveau au bar du quai Voltaire, croise les jambes et se remet du rouge. Elle n'a pas refait son chignon. Ses cheveux lourds retombent sur ses épaules. Elle a tout de suite remarqué l'absence de l'homme aux glaçons. Elle se commande un scotch sans eau.

Il ne lui reste plus qu'à repartir sur la mer comme il est venu. L'océan à traverser une seconde fois. La terre promise se déplace et change de rive. Il n'est que de faire le trajet à l'inverse. L'Atlantique recommence à perte de vue. Julien envisage de longs jours à regarder la mer jusqu'à ce qu'apparaisse la terre, à moitié liquide, à peine sortie des eaux. Aline est cette terre obscure à l'horizon qui tremble avec son fruit. Aline est cette source et ce commencement. Julien a rendez-vous avec elle. Le songe est à nouveau devant lui.

Il n'a pas soulevé le rideau, ni regardé par la fenêtre. Il n'a pas suivi des yeux la femme qui s'éloigne à petits pas sur le trottoir du quai Voltaire. Nul pressentiment ne lui serre la gorge à la pensée d'un inconnu se mouvant dans l'ombre, de par les rues de la ville, silhouette sombre, reconnaissable entre toutes, aussi solitaire et désœuvré que Camille Jouve, de la même race évanescente, en marche vers elle, tandis qu'elle le flaire à distance et l'espère pour compagnon, quelques heures à peine, jusqu'au bout de la nuit.

Du même auteur

AUX MÊMES ÉDITIONS

Les Chambres de bois
roman, 1958
coll. « Points Roman », n° 203

Poèmes
1960

Le Torrent
nouvelles, 1965

Kamouraska
roman, 1970, prix des Libraires, 1971
coll. « Points Roman », n° 67

Les Enfants du Sabbat
roman, 1975
coll. « Points Roman », n° 117

Héloïse
roman, 1980

Les Fous de Bassan
roman, 1982, prix Femina
coll. « Points Roman », n° 141

Le Premier Jardin
roman, 1988
coll. « Points Roman », n° 358

En coédition avec les Éditions Boréal

La Cage, *suivi de* **L'Ile de la Demoiselle**
théâtre, 1990

COMPOSITION : CHARENTE-PHOTOGRAVURE À L'ISLE-D'ESPAGNAC
REPRODUIT ET ACHEVÉ D'IMPRIMER
SUR ROTO-PAGE PAR L'IMPRIMERIE FLOCH À MAYENNE
DÉPÔT LÉGAL : MAI 1992. N° 15374 (32335)